新TOEIC® TEST
パート3・4特急
実力養成ドリル

神崎 正哉
Daniel Warriner

TOEIC is a registered trademark of Educational Testing Service (ETS).
This publication is not endorsed or approved by ETS.

朝日新聞出版

🔊 音声ファイル ダウンロードの方法

本書の音声は、下記の朝日新聞出版HPからダウンロードしてください。

http://publications.asahi.com/toeic/

🔊1 左のマークのついている部分は音源が用意されています。
横の数字は音声ファイルの番号を表しています。

音声ファイルには、

[Part3_Track1A] [Part3_Track1B]

の2つのパターンがあります。

B [Part3_Track1B] のファイルには選択肢の音声も入っていますが、試験本番では選択肢の音声は流れません。

Ⓐ 選択肢の読み上げなし
Ⓑ 選択肢の読み上げあり

本番と同じように選択肢読み上げなしで解きたい方はⒶファイルをお使いください。選択肢も音で聞きたい方はⒷファイルをお使いください。

英文翻訳 ── 及川 亜也子

編集協力 ── 秋庭 千恵
　　　　　　 Karl Rosvold

録音協力 ── 英語教育協議会（ELEC）
　　　　　　 Howard Colefield 🇺🇸
　　　　　　 Emma Howard 🇬🇧

もくじ

本物の実力を養成しよう …………………………………… 4

本書の構成とトレーニングメニュー …………………………………… 8

第1部 Conversation TOEIC Part 3 …………… 11

Part 3の会話のパターン …………………………………… 12

Unit 1 ………………… 13	Unit 11 ………………… 73
Unit 2 ………………… 19	Unit 12 ………………… 79
Unit 3 ………………… 25	Unit 13 ………………… 85
Unit 4 ………………… 31	Unit 14 ………………… 91
Unit 5 ………………… 37	Unit 15 ………………… 97
Unit 6 ………………… 43	Unit 16 ………………… 103
Unit 7 ………………… 49	Unit 17 ………………… 109
Unit 8 ………………… 55	Unit 18 ………………… 115
Unit 9 ………………… 61	Unit 19 ………………… 121
Unit 10 ………………… 67	Unit 20 ………………… 127

第2部 Short Talks TOEIC Part 4 …………… 133

Part 4のトークのパターン …………………………………… 134

Unit 21 ………………… 135	Unit 31 ………………… 195
Unit 22 ………………… 141	Unit 32 ………………… 201
Unit 23 ………………… 147	Unit 33 ………………… 207
Unit 24 ………………… 153	Unit 34 ………………… 213
Unit 25 ………………… 159	Unit 35 ………………… 219
Unit 26 ………………… 165	Unit 36 ………………… 225
Unit 27 ………………… 171	Unit 37 ………………… 231
Unit 28 ………………… 177	Unit 38 ………………… 237
Unit 29 ………………… 183	Unit 39 ………………… 243
Unit 30 ………………… 189	Unit 40 ………………… 249

本物の実力を養成しよう

Part 3 と Part 4 の問題を 120 問解き、問題形式になれる

この本には TOEIC の Part 3 タイプの会話と Part 4 タイプのトークが 20 個ずつ入っています。そして、それぞれの会話・トークに TOEIC 形式の 4 択問題が 3 つ付いています。会話またはトークを聞いて設問 3 問に答えるという練習を 40 セット（合計 120 問）こなすことで、Part 3 と Part 4 の問題パターンに慣れて、本番でこの 2 つのパートが楽に解答できるようになります。それがこの本の第一の目的です。

英語の実力養成には音読、そして暗唱

TOEIC のスコアアップには問題形式に慣れることに加えて、英語力の養成が大切です。特に初級者の場合、英語の基礎力を高めるトレーニングをせずに模擬問題ばかり解いていてもスコアはあまり上がりません。では、英語の基礎力を伸ばすためには何をすればよいのでしょうか。私自身の学習体験を振り返ってみると、基礎力養成に役立ったことは次の 3 ステップトレーニングです。

1. 英語の音を聞く
2. 聞こえた通りに真似して声に出す
3. それを何度も繰り返して英文を覚える

私がこのような練習をしていたのは大学時代です。英語を専攻していたわけではないのですが、外国に対するあこがれ

から英語ができるようになりたいという気持ちを強く持っていました。そこでNHKラジオの『英会話』を聞いて、1人で学習していました。あるとき、当時番組を担当されていた大杉正明先生がご自身の学習体験を話してくださったことがありました。大杉先生自身も学生時代、松本亨先生が担当していたNHKラジオの『英会話』を毎日聞いていたそうで、番組を録音して、会話の部分を聞いて真似して言う練習を暗記するほど繰り返してやったとおっしゃっていました。それを聞いて「そうか、そういうふうにやればいいんだ。真似してみよう」と思い、聞いて声に出す練習を暗記するまで繰り返すというトレーニングを始め、2年ほど続けました。それが私自身の英語の基礎力を固めるのにとても役立ったので、私はこの方法が英語の基礎力養成に有効だと信じています。

　Part 3の会話とPart 4のトークは、上記の3ステップトレーニングの素材にとても適しています。この本の会話とトークを使って、聞いて真似して言う練習を暗記するまで繰り返せば、英語の実力アップとTOEICの問題対策が同時にでき、一石二鳥です。

 語彙力を伸ばす

　問題形式に慣れることと英語の基礎力を養うことに加えて、語彙力アップもこの本の大きな目的の1つです。会話・トークおよび設問・選択肢にはPart 3とPart 4だけではなくTOEICの他のパートでも頻出の重要語句がたくさん含まれています。この本ではそれらの語句を記憶に定着させるため、語彙に焦点を当てたトレーニングを用意しました。

　まず、TOEIC形式の問題を解いた後にやる穴埋めディク

テーション（音声を聞いてスクリプト中の空欄に入る語を記入する練習）です。この6つの空欄に入る語は重要度の高いものばかりです。これらの語句を集中して聞き、空欄に書き入れ、最後に答えをチェックしていけば、たとえ知らない語句があったとしても自然と記憶に残るでしょう。

また、スクリプトの空欄以外の部分で使われた重要語句と設問・選択肢中の重要語句には語注を付けてあります。語注欄もしっかりチェックして、もし知らない語句があったら覚えるようにしてください。本番できっと役立ちます。さらに「スクリプトの語注」と「重要語穴埋め　解答」の欄には派生語や同義語も挙げてあります。派生語や同義語の知識はTOEICのリーディングセクションで役立ちますので、ターゲットとなる語とセットで覚えておくとよいでしょう。

 本書に収録されている会話・トークについて

この本の会話・トークは実際のTOEICで使われたものを模して作っていますが、そっくりそのまま再現しているわけではありません。仮にできたとしても問題の再現はTOEIC運営員会の定める禁止行為にあたります。ですから、本書の会話・トークおよび設問・選択肢はTOEICで出題された問題とまるっきり同じというわけではありません。ただし、TOEICで使われる会話・トークには一定のパターンがあり、この本に収録されているものもそのパターンを踏襲しています。よって、これから皆さんが受験するTOEICでも、この本に収録されている会話・トークと似たような場面・状況で、似たような語句や表現を使い、似たような話の展開になるものが必ずいくつか出題されます。そういった意味でこの本を

使ってトレーニングを積むと本番で必ず有利になります。

実際のTOEICで使われるPart 3の会話は、第一話者の発話に第二話者が応じ、第一話者がもう一言付け加えるというABAの一往復半の会話、またはそれに第二話者の発言が加わるABABの二往復のいずれかです。それに対してこの本の会話は、最大でABABABABABの5往復になっています。また、1つの会話に含まれる単語数も105～124語、平均116語と実際のTOEICよりやや長めになっています。話者の切り替わりが多く、語数も多いので、難易度が高くなりますが、その分負荷の高いトレーニングが可能となり、本番で使われる会話がやさしく感じることになるでしょう。また、切り替わりが多いので、自然な会話のやり取りの仕方を学ぶことができます。

トークも1つあたりの語数は113～132語、平均124語と長めになっています。本番より長めの素材を使うことで高地トレーニング的な効果が期待できます。

本書で用いられる記号表記

- **動** 動詞
- **名** 名詞
- **形** 形容詞
- **副** 副詞
- **前** 前置詞
- **接** 接続詞
- **類** 類義語・類義表現
- **反** 反意語・反意表現
- **同** 同義語

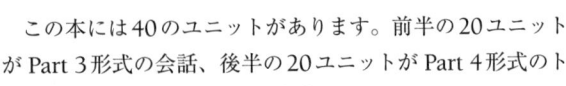

本書の構成とトレーニングメニュー

この本には40のユニットがあります。前半の20ユニットがPart 3形式の会話、後半の20ユニットがPart 4形式のトークを使った練習になっています。

 各ユニットのトレーニングメニュー

① 会話・トークを聞いて3問解く

まずは会話・トークを聞いてください。会話・トークが行われている場面を頭に描きながら聞くと話の流れが追いやすくなるはずです。そして、TOEIC形式の4択問題を解いてください。これはTOEICタイプの問題に慣れるためのよい練習になります。

② 穴埋めディクテーションに挑戦

ページをめくると6箇所の空欄を含む英文スクリプトがあります。音声を再度聞いて、空欄に入る語を聞き取り、記入してください。空欄に入る語はTOEICの重要語句です。聞き取り、記入することを通してしっかり定着させるようにしましょう。

③「スクリプトの語注」で語句をチェック

会話・トーク中で使われた重要語句を取り上げてあります。知らない語句があったら、しっかり覚えるようにしましょう。また派生語や同義語も挙げてありますのでターゲットとなる見出し語とセットで覚えてください。

④ 穴埋めディクテーションの答え合わせ

空欄に記入した語が合っているか解答欄で確認してください。ここでも派生語や同義語を挙げてあります。

⑤ 4択問題の答え合わせ

ページをめくると一番初めに解いた TOEIC 形式の4択問題の解答と解説があります。正解とその根拠を確認してください。また、設問・選択肢で使われた重要語句には語注が付いていますので、確認しておきましょう。

⑥ スクリプトの訳

ユニットの最終ページにはスクリプトの日本語訳があります。会話・トーク中で意味がわからない箇所がある場合は訳で確認しておいてください。

⑦ 音を使ったトレーニング

一通りテキストが終わったら、音声を使って音のトレーニングをしましょう。「これをやるかやらないか」が英語が使えるようになるかならないかの分かれ目です。すでにバイリンガルのようになっている英語の達人でも、日ごろから音読などの英語を声に出すトレーニングを欠かさないという人がたくさんいます。

次のようなトレーニングが実力養成に大変有効です。

🚃 Listen & Repeat

1つの文を聞いて、声に出して読んで繰り返す（繰り返すとき音声は止める）。文が長い場合は途中で区切ってもよい。耳だけを使ってやるのが理想だが、難しいようであれば初めは目でテキストを見てもよい。

🚃 オーバーラッピング

スクリプトを見ながら、音声に合わせて声に出して読む。

🚃 シャドーイング

英文の後について真似をして言う（音声は止めない）。スクリプトは見ない。

🚃 コピーイング

英文を覚えて、元の音声通りに暗唱する。その人物になりきって、感情を込めてやる。

声に出す練習をするときは英語と日本語の音のシステムの違いに注意してやりましょう。英語では、語の組み合わせによって、音がつながったり、弱くなったり、聞こえなくなったりします。また、強弱のリズムや文章全体のイントネーションも特徴的です。さらに喉をリラックスさせ、喉が開いたままの状態で息の流れを止めないで発音すると英語らしい音が出やすくなります。このような英語の特徴を意識して、音のパターンを体に染み込ませるつもりで、何度も何度も、さらに何回も何回も、繰り返して声に出す練習をしてください。ぜったいに効果が表れます。

第1部

Conversations

TOEIC Part 3

会話を使った
実力養成

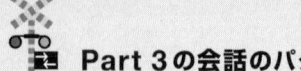

Part 3の会話のパターン

TOEICを作成しているETSが作った『TOEICテスト公式プラクティスリスニング編』(国際ビジネスコミュニケーション)では、Part 3の会話を3つのカテゴリーに分類しています。

1. Society & Life (社会と生活)

具体的な例としては、店員と客の会話、レストランでの会話、ホテルの宿泊客とフロント係の会話、駅員と乗客の会話、クリニックの受付係と利用者の会話、チケット売り場での会話、修理工場での会話、書店での会話、銀行での会話、道案内をしているやり取りなど、バラエティーに富んでいます。

2. Workplace & Business (職場とビジネス)

ここに分類される会話は場所がオフィス(またはオフィス間の電話でのやり取り)に限られます。会話をしているペアは、同じ会社で働く同僚同士の場合と別の会社の者同士の場合がありますが、割合的には前者が大半を占めます。内容的には「コピー機が壊れた」「紙がない」「来週パーティーがある」「出張はどうでしたか」「今日は残業ですか」というような一般的なものが多く、突っ込んだ商談のようなものは使われません。また、「ビジネス」といっても、ビジネスの専門知識がないと理解できないような高度な内容のものは出題されません。

3. Personnel & Training (人事と研修)

職場での会話の一種ですが、TOEICでは特に人事・研修関係のネタが多いので独立したカテゴリーになっています。内容的には「今度Bobが栄転するそうです」「部長を募集しているけど応募してはどうですか」「先日のワークショップはどうでしたか」「今度新人研修をやるんですが、話をしてもらえませんか」「人が足りないので雇う必要がある」というようなものです。

音声ファイルには、[Part3_Track1A] と [Part3_Track1B] の2つのパターンがあります。B [Part3_Track1B] のファイルには選択肢の音声も入っていますが、試験本番では選択肢の音声は流れません。

Ⓐ 選択肢の読み上げなし (本番と同じ形式)

Ⓑ 選択肢の読み上げあり (選択肢も音で聞きたい方用)

Unit 1

Listen to Track 1 and answer the following questions.

1. What does the man ask about?

    (A) A conference schedule
    (B) A membership benefit
    (C) An attendee survey
    (D) A ceremony location

2. What can the man receive?

    (A) A complimentary meal
    (B) A price reduction
    (C) A registration form
    (D) A revised timetable

3. What does the woman suggest the man do?

    (A) Buy a ticket
    (B) Return a pass
    (C) Take a program
    (D) Go to a conference hall

B

Listen again and fill in the blanks.

Questions 1 through 3 refer to the following conversation.

M: Good afternoon. I'd like a three-day pass for the Technotronics Conference.

W: Would you like an (①   ) pass or a visitor pass, sir?

M: A visitor pass, please. And I'm a member of the American Engineers Society. Don't members receive a discount on the

 (②   ) fee?

W: That's right. You can receive a 10 percent discount. In total it will

 (③   ) 270 dollars. I do need to see your membership card, though.

M: Okay. By the way, does the fee

 (④   ) tomorrow's banquet here at the conference hall?

W: No, you have to buy a ticket for that

 (⑤   ). And I

 (⑥   ) that you get your ticket soon, as there aren't many seats left.

スクリプトの語注

- **pass** 名 入場券 動 pass 通り過ぎる、合格する
- **receive** 動 受け取る
- **discount** 名 割引 動 discount 割引をする
- **in total** 合計で
- **banquet** 名 宴会
- **seats left** 残っている席

B 重要語穴埋め 解答

1. **exhibitor** 名 出展者
   動 exhibit 展示する
   名 exhibit 展示品、展示会
   名 exhibition 展示、展示品、展示会

2. **admission** 名 入場
   動 admit （入場などを）認める

3. **cost** 動 費用がかかる
   名 cost 費用

4. **include** 動 含む
   形 inclusive 含めた、込みの
   名 inclusion 含んでいること

5. **separately** 副 別に
   形 separate 別の

6. **recommend** 動 勧める
   名 recommendation 推薦

A 解答・解説

1.

What does the man ask about?

男性は何について尋ねていますか。

(A) A conference schedule
会議のスケジュール
(B) A membership benefit
会員特典
(C) An attendee survey
出席者アンケート
(D) A ceremony location
式典の場所

正解 (B)

男性は Don't members receive a discount on the admission fee? と会員に対する割引について尋ねている。これは (B) A membership benefit と言い換えられる。

語注

□ **conference** 名 会議　　□ **benefit** 名 特典
□ **attendee** 名 出席者　　□ **survey** 名 調査
□ **ceremony** 名 式典　　□ **location** 名 場所

2.

What can the man receive?

男性は何を受け取ることができますか。

(A) A complimentary meal
無料の食事
(B) A price reduction
値引き

(C) A registration form
登録用紙
(D) A revised timetable
改定された日程表

正解 (B)

男性が会員に対する割引があるか尋ねたのを受けて女性が That's right. You can receive a 10 percent discount. と言っている。ここから男性は割引を受けられることがわかる。discount を A price reduction に言い換えた (B) が正解。

語注

- **complimentary** 形 無料の
- **reduction** 名 割引
- **registration** 名 登録
- **revised** 形 改訂された

3.

What does the woman suggest the man do?
女性は、男性に何をするよう提案していますか。

(A) Buy a ticket
チケットを購入する
(B) Return a pass
入場券を返却する
(C) Take a program
プログラムを取る
(D) Go to a conference hall
会議場に行く

正解 (A)

女性は And I recommend that you get your ticket soon と言って男性にチケットの購入を勧めている。よって、(A)が正解。

語注

□ **suggest** 動 提案する　　□ **return** 動 返却する

スクリプト訳

問題1〜3は次の会話に関するものです。

M: こんにちは。Technotronics Conference の3日間通しの入場券をください。

W: 出展者用でしょうか、来場者用でしょうか。

M: 来場者用をお願いします。それと、私は American Engineers Society の会員なのですが。会員は入場料の割引を受けられませんか。

W: その通りです。10パーセントの割引を受けられます。合計で270ドルになります。あなたの会員カードを拝見する必要があります。

M: わかりました。ところで料金には、ここの会議場での明日の晩餐会も含まれますか。

W: いいえ、そのためのチケットは別に購入しなければなりません。残っている席は多くありませんから、すぐにチケットをお求めになるようお勧めします。

「音を使ったトレーニング (9〜10ページ 7)」で本物の実力を養成しましょう！やるかやらないか、ここが分かれ目です。

Unit 2

Listen to Track 2 and answer the following questions.

4. What event does the man want to attend?
   - (A) A concert
   - (B) An opera
   - (C) A workshop
   - (D) A play

5. What does the woman say about tonight's event?
   - (A) It was cancelled.
   - (B) It has sold out.
   - (C) It will start earlier than usual.
   - (D) It is the last show of the season.

6. When will the man probably go to the theater?
   - (A) On Tuesday
   - (B) On Wednesday
   - (C) On Saturday
   - (D) On Sunday

B

Listen again and fill in the blanks.

Questions 4 through 6 refer to the following conversation.

M: Hello, I'd like to buy two tickets for tonight's performance, *The Blue Overcoat*.

W: I'm sorry, sir. There aren't any seats (①). It sold out yesterday. In fact, tomorrow and Sunday's performances have both sold out as well.

M: That's (②). I really wanted to see the play, but I'll be (③) New York on Wednesday. Are there any matinée performances?

W: No, not this month. I do see a few seats (④) for the Tuesday evening showing. They're at the back of the (⑤), though.

M: I don't (⑥) sitting at the back. If I can get two seats next to each other, then I'll buy them now.

✖ スクリプトの語注

- **performance** 名 公演
  - 動 **perform** 上演する、行う
- **sell out** 売り切れる
- **in fact** 実は
- **as well** 同様に
- **matinée** 名 マチネ、昼の公演
- **showing** 名 公演
- **next to** ～の隣の [に]

Ⓑ 重要語穴埋め 解答

1. **left** 原形は leave 動 残る
   There aren't any seats left. で「残っている席はない」

2. **unfortunate** 形 残念なことである
   副 **unfortunately** あいにく

3. **leaving** 原形は leave 動 出発する

4. **available** 形 空いている
   seats available で「空いている席」
   名 **availability** 利用できること

5. **theater** 名 劇場
   形 **theatrical** 演劇の、芝居がかった

6. **mind** 動 気にする
   I don't mind ～ing. で「～してもかまわない」
   名 **mind** 精神、知性、意見

A 解答・解説

4.

What event does the man want to attend?

男性はどんなイベントに行きたがっていますか。

(A) A concert
コンサート
(B) An opera
オペラ
(C) A workshop
研修会
(D) A play
演劇

正解 (D)

男性が I really wanted to see the play, と言っているので、演劇を見たがっていることがわかる。

語注

□ **attend** 動 参加する

5.

What does the woman say about tonight's event?

女性は今夜のイベントについて何と言っていますか。

(A) It was cancelled.
中止になった。
(B) It has sold out.
完売した。
(C) It will start earlier than usual.
通常より早く始まる。
(D) It is the last show of the season.
今期最後の公演である。

正解 (B)

男性が今夜の公演のチケットを2枚購入したいと言っているのを受け、女性は I'm sorry, sir. There aren't any seats left. と言っている。よってチケットが完売したことがわかる。

語注

□ **cancel** 動 中止する　　□ **usual** 形 普通の
□ **season** 名 (公演などの) 期間、シーズン

6.

When will the man probably go to the theater?

男性はおそらくいつ劇場に行きますか。

(A) On Tuesday
　火曜日
(B) On Wednesday
　水曜日
(C) On Saturday
　土曜日
(D) On Sunday
　日曜日

正解 (A)

女性が I do see a few seats available for the Tuesday evening showing. と言っているのを受け、男性は If I can get two seats next to each other, then I'll buy them now. と言っている。よって、火曜日に公演を見に行くであろうことがわかる。

A 解答・解説

語注

□ **probably** 副 おそらく

スクリプト訳

問題4〜6は次の会話に関するものです。

M: こんにちは、今夜の公演『The Blue Overcoat』のチケットを2枚購入したいのですが。

W: 申し訳ないのですが、空いている席はありません。昨日完売になったのです。実は、明日と日曜日の公演も両方とも完売なんです。

M: それは残念です。私はほんとうにその劇を見たかったんですが、水曜日にニューヨークをたつんです。昼間の公演はありますか。

W: いいえ、今月はありません。火曜日の夜の公演には少し空席がございます。劇場の後ろのほうになりますが。

M: 後ろに座るのはかまいません。もし隣同士の席が2つあれば、今購入します。

「音を使ったトレーニング（9〜10ページ [7]）」で本物の実力を養成しましょう！ やるかやらないか、ここが分かれ目です。

Unit 3

Listen to Track 3 and answer the following questions.

7. Who is the man?

    (A) A trainer
    (B) A secretary
    (C) A manager
    (D) A bank teller

8. What does the man ask about?

    (A) Application procedures
    (B) Business hours
    (C) Schedule changes
    (D) Mortgage rates

9. What should the man do if a customer wants to make an appointment?

    (A) Offer the customer a form
    (B) Ask Ms. Owens for assistance
    (C) Direct the customer to a counter
    (D) Speak to Mr. Fernley's secretary

Listen again and fill in the blanks.

Questions 7 through 9 refer to the following conversation.

W: Good morning. You must be Robert Henning, our new teller. I'm Lisa Owens, the (①   ) manager.

M: Good morning, Ms. Owens. It's nice to meet you.

W: We'll be opening in a few minutes, so if there's anything you'd like to know that wasn't (②   ) during the training, just ask me.

M: Okay. Actually, I have a question now. What should I do when a customer wants to (③   ) for a mortgage?

W: Craig Fernley (④   ) all mortgage applications. To speak with him, customers have to make an (⑤   ). If someone inquires about a mortgage, please check Craig's schedule with Candice, his secretary. Then (⑥   ) a time for the customer to meet with him.

スクリプトの語注

- **You must be 〜.** あなたはっと〜でしょう。
- **teller** 名 銀行の窓口係
- **mortgage** 名 住宅ローン
- **inquire** 動 尋ねる 名 **inquiry** 問い合わせ
- **check A with B** AをBに確認する
- **secretary** 名 秘書

B 重要語穴埋め 解答

1. **assistant** 形 副の
   名 **assistant** アシスタント 動 **assist** 助ける
2. **covered** 原形は cover 動 取り上げる
3. **apply** 動 申し込む
   名 **application** 応募 名 **applicant** 応募者
4. **handles** (動 handle の3人称単数現在) 扱う
5. **appointment** 名 予約
   動 **appoint** 指名する
6. **arrange** 動 決める
   名 **arrangement** 準備、手配、配置

A 解答・解説

7.

Who is the man?

男性は誰ですか。

(A) A trainer
指導員

(B) A secretary
秘書

(C) A manager
マネジャー

(D) A bank teller
銀行の窓口係

正解 (D)

冒頭女性が You must be Robert Henning, our new teller. と言っているので男性は teller であることがわかる。

語注

□ **teller** 名 (銀行の) 窓口係

8.

What does the man ask about?

男性は、何について尋ねていますか。

(A) Application procedures
申し込みの手順

(B) Business hours
営業時間

(C) Schedule changes
スケジュールの変更

(D) Mortgage rates
住宅ローンの利率

正解 (A)

女性に質問を求められ、男性は What should I do when a customer wants to apply for a mortgage? と尋ねている。よって、(A) Application procedures が正解。

語注

- **application** 名 申し込み
- **procedures** 名 手順
- **mortgage** 名 住宅ローン
- **rate** 名 利率

9.

What should the man do if a customer wants to make an appointment?

顧客が予約を取りたい場合、男性はどうすべきですか。

(A) Offer the customer a form
顧客に用紙を渡す

(B) Ask Ms. Owens for assistance
Owens さんに手伝ってくれるよう頼む

(C) Direct the customer to a counter
顧客をカウンターまで案内する

(D) Speak to Mr. Fernley's secretary
Fernley さんの秘書に話す

正解 (D)

女性が If someone inquires about a mortgage, please check Craig's schedule with Candice, his secretary. Then arrange a time for the customer to meet with him. と説明している。ここから、住宅ローンに関して予約を取り

たい顧客がいた場合、Craig (Mr. Fernley) の秘書にその旨を伝える必要があることがわかる。

語注

- **appointment** 名 予約
- **offer** 動 渡す
- **assistance** 名 手助け
- **direct** 動 案内する

スクリプト訳

問題7〜9は次の会話に関するものです。

W: おはようございます。新しい窓口係の Robert Henning さんですね。私は副支店長の Lisa Owens です。

M: おはようございます、Owens さん。はじめまして。

W: あと数分で開店ですから、もし研修中に取り上げられなかったことで何か知りたいことがあれば、私にお尋ねください。

M: わかりました。実は今質問があるのです。顧客が住宅ローンを申し込みたい場合、私はどうすればよいですか。

W: Craig Fernley が住宅ローンに関する申請はすべて担当しています。彼と話すには、顧客は予約を取らなければなりません。もし誰かが住宅ローンについて尋ねたら、Craig のスケジュールを彼の秘書の Candice に確認してください。そして顧客が彼に会う時間を決めてください。

「音を使ったトレーニング（9〜10ページ [7]）」で本物の実力を養成しましょう！ やるかやらないか、ここが分かれ目です。

Unit 4

Listen to Track 4 and answer the following questions.

10. Where most likely does the conversation take place?

   (A) At a currency exchange
   (B) At a cooking school
   (C) At an appliance store
   (D) At a repair shop

11. What is the problem?

   (A) A receipt was misplaced.
   (B) A credit card has expired.
   (C) A product is defective.
   (D) A test was inadequate.

12. What will the woman probably do next?

   (A) Look for a device
   (B) Wait for a colleague
   (C) Talk to a supervisor
   (D) Provide a refund

B

Listen again and fill in the blanks.

Questions 10 through 12 refer to the following conversation.

M: Excuse me, could you tell me where I can return this blender?

W: We handle returns here, sir. Do you happen to know what's wrong with it?

M: Well, when I (①   ) it in and tried turning it on, nothing happened. It must be (②   ).

W: Oh, I'm sorry to hear that. We can give you a (③   ) if you have the receipt.

M: Actually, I'd prefer to (④   ) it for one that works. But would it be (⑤   ) to test it before I take it home with me?

W: Sure. I'll go get another one from our kitchen (⑥   ) section. Why don't you have a seat here while you wait?

M: Thank you.

❌ スクリプトの語注

- □ **return** 動 返品する
  名 **return** 返品
- □ **blender** 名 ミキサー
  動 **blend** 混ぜ合わせる
- □ **handle** 動 取り扱う
- □ **Do you happen to know ～?**
  ひょっとして～を知っていますか
- □ **nothing happened** 何も起こらなかった
- □ **prefer to ～** ～するほうがいい
- □ **Why don't you ～?** ～してはどうですか

B 重要語穴埋め 解答

1. **plugged** 原形は plug 動 コンセントを差し込む
   名 **plug** コンセント
2. **faulty** 形 欠陥のある 同 defective
   名 **fault** 欠点、欠陥、失敗の責任
3. **refund** 名 返金
   動 **refund** 返金する
4. **exchange** 動 交換する
   名 **exchange** 交換
5. **possible** 形 可能な
   名 **possibility** 可能性
6. **supplies** (名 supplyの複数形) 必需品
   動 **supply** 供給する
   名 **supplier** 供給業者

10.

Where most likely does the conversation take place?

会話はおそらくどこで行われていますか。

(A) At a currency exchange
両替所で

(B) At a cooking school
料理学校で

(C) At an appliance store
電化製品店で

(D) At a repair shop
修理店で

正解 (C)

この会話では、客がミキサー（blender）の交換を頼んでいる。よって、電化製品店での会話であることがわかる。I'll go get another one from our kitchen supplies section. などもヒントになる。

語注

□ **take place** 行われる　　□ **currency** 名 通貨
□ **appliance** 名 電化製品　　□ **repair** 名 修理

11.

What is the problem?

何が問題ですか。

(A) A receipt was misplaced.
レシートがなくなった。

(B) A credit card has expired.
クレジットカードの有効期限が切れてた。

(C) A product is defective.
製品が不良品である。

(D) A test was inadequate.
テストが不十分だった。

正解 (C)

男性がミキサーの不具合の様子を when I plugged it in and tried turning it on, nothing happened. It must be faulty. と説明している。よって、faulty を defective に言い換えた (C) が正解。

語注

- **misplace** 動 不適切な場所に置く
- **expire** 動 有効期限が切れる
- **defective** 形 欠陥のある
- **inadequate** 形 不十分な

12.

What will the woman probably do next?
女性は次におそらく何をしますか。

(A) Look for a device
機器を探す

(B) Wait for a colleague
同僚を待つ

(C) Talk to a supervisor
上司に話す

(D) Provide a refund
返金をする

正解 (A)

女性は I'll go get another one from our kitchen supplies section. と言っているので、キッチン用品売り場に行って別のミキサーを取ってくることがわかる。よって、blender を device に言い換えた (A) が正解。

語注

- **probably** 副 おそらく
- **device** 名 機器
- **colleague** 名 同僚
- **supervisor** 名 監督者
- **provide** 動 提供する
- **refund** 名 返金

スクリプト訳

問題10〜12は次の会話に関するものです。

M: すみません、このミキサーをどこで返品できるか教えてもらえますか。

W: 返品はこちらで担当しております。どういった問題があるかおわかりでしょうか。

M: コンセントを差し込んでスイッチを入れてみましたが、何も起こらなかったのです。不良品に違いありません。

W: それは申し訳ございません。もしレシートをお持ちでしたら、ご返金できます。

M: 実は、正常に動くものと交換するほうがいいです。ですが、家に持ち帰る前に試してみることはできますか。

W: もちろんです。キッチン用品売り場から別のものを取ってまいります。お待ちになる間、こちらにお座りになりませんか。

M: ありがとうございます。

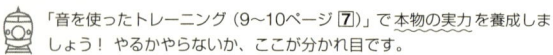

「音を使ったトレーニング (9〜10ページ **7**)」で本物の実力を養成しましょう! やるかやらないか、ここが分かれ目です。

Unit 5

A

Listen to Track 5 and answer the following questions.

13. What does the woman want to do?

    (A) Renovate an office
    (B) Open a law firm
    (C) Lease an apartment
    (D) Relocate a firm

14. What does the woman say about her business?

    (A) It is located in Montgomery.
    (B) It is currently unfurnished.
    (C) It is closed in the evening.
    (D) It is newly established.

15. What does the man say he will do?

    (A) Send an invoice
    (B) Provide a service
    (C) Call an employee
    (D) Contact a lawyer

B

Listen again and fill in the blanks.

Questions 13 through 15 refer to the following conversation.

M: Hi, this is Herb Preston from Interiors Plus.

W: Thanks for calling me back. As I (①_____) in my message, I've just opened a small law office in Deatsville and it needs some (②_____).

M: Well, we don't usually take on projects in Deatsville. We're (③_____) in Montgomery. But what would the job (④_____)?

W: I want the floor in the lobby (⑤_____). I'd also like four new windows (⑥_____).

M: We can handle that. One of my staff lives close to Deatsville. Could he look at your office one evening this week?

W: How about tomorrow at seven?

M: All right. Hold on one moment so I can get a pen to write down your address.

❌ スクリプトの語注

- □ **open** 動 開く
- □ **take on** 請け負う
- □ **project** 名 仕事
- □ **handle** 動 対応する
- □ **close to ～** ～の近くに
- □ **hold on** 電話を切らないで待つ

B 重要語穴埋め 解答

1. **mentioned** 原形は mention 動 述べる
2. **renovations** (名 renovation の複数形) 改装
   動 **renovate** 改装する
3. **based** 形 本拠地とする
   be based in ～ ～に本拠地を置く
4. **entail** 動 伴う
5. **replaced** 原形は replace 動 交換する
   名 **replacement** 交換、取り替え品
6. **installed** 原形は install 動 設置する

13.

What does the woman want to do?

女性は、何をしたいですか。

(A) Renovate an office
オフィスを改装する
(B) Open a law firm
法律事務所を開く
(C) Lease an apartment
アパートの賃貸しをする
(D) Relocate a firm
会社を移転する

正解 (A)

女性は I've just opened a small law office in Deatsville and it needs some renovations. と言っているので、改装を頼みたいことがわかる。名詞の renovations が (A) の動詞 renovate に対応している。

語注

- **renovate** 動 改装する
- **lease** 動 賃貸しをする
- **relocate** 動 移転する
- **firm** 名 会社

14.

What does the woman say about her business?

女性は自分の会社についてどう言っていますか。

(A) It is located in Montgomery.
Montgomery にある。
(B) It is currently unfurnished.
現在は家具がない。

(C) It is closed in the evening.
夜は閉まっている。
(D) It is newly established.
新しく開設された。

正解 (D)

女性が、I've just opened a small law office in Deatsville と述べていることから新しく法律事務所を開設したことがわかる。よって、opened を established に言い換えた (D) が正解。

語注

- **located** 形 〜にある
- **currently** 副 現在
- **unfurnished** 形 家具の付いていない
- **newly** 副 新しく
- **establish** 動 設立する

15.

What does the man say he will do?
男性は何をすると言っていますか。

(A) Send an invoice
請求書を送る
(B) Provide a service
サービスを提供する
(C) Call an employee
従業員に電話をする
(D) Contact a lawyer
弁護士と連絡を取る

正解 (B)

女性の I want the floor in the lobby replaced. I'd also like four new windows installed. という説明を聞いた後、男性は We can handle that. と答えている。ここから女性の求めるサービスを提供することがわかる。

語注

- **invoice** 名 請求書
- **contact** 動 連絡を取る
- **lawyer** 名 弁護士

スクリプト訳

問題13～15は次の会話に関するものです。

M: もしもし、こちらは Interiors Plus の Herb Preston です。

W: コールバックしてくださってありがとうございます。伝言メッセージでも申しましたが、私は Deatsville に小さな法律事務所を開いたばかりなのですが、いくらか改装が必要なのです。

M: 当社は通常、Deatsville での仕事は請け負っていないんです。Montgomery に拠点を置いておりますので。ですが、どういった内容を伴う作業になりますでしょうか。

W: ロビーの床を張り替えたいのです。新しい窓も4つ取り付けていただきたいです。

M: それなら当社が対応できます。スタッフの1人が Deatsville の近くに住んでおります。彼が今週のいずれかの晩に、そちらのオフィスを拝見してもよろしいでしょうか。

W: 明日の7時はいかがですか。

M: わかりました。ご住所を書きとめるのにペンを用意しますので、少々お待ちください。

「音を使ったトレーニング（9～10ページ ⑦）」で本物の実力を養成しましょう！やるかやらないか、ここが分かれ目です。

Unit 6

A

Listen to Track 6 and answer the following questions.

16. What will the woman probably do this evening?

    (A) Set up a new computer
    (B) Visit a sports facility
    (C) Send some supplies
    (D) Have a teleconference

17. What does the man suggest the woman do?

    (A) Postpone a meeting
    (B) Consult her superior
    (C) Speak with a coworker
    (D) Install some equipment

18. Why does the man decline the woman's offer?

    (A) He is preparing for a presentation.
    (B) He will take a client to dinner.
    (C) He is not interested in football.
    (D) He has already bought a ticket.

B

Listen again and fill in the blanks.

Questions 16 through 18 refer to the following conversation.

W: Cliff, do you like football?

M: Yes. Why?

W: I have a (①   ) of tickets for this evening's game at the Sports Dome, but I can't go.

M: Why not?

W: Mr. Warren wants me to join a teleconference with him and one of our Danish suppliers. That's why I'm (②   ) this camera on my computer.

M: I see. Can't it be put off until tomorrow?

W: According to Mr. Warren, the supplier wants to speak with us right away.

M: Well, I can't see a game tonight, (③   ). I'm getting ready to (④   ) my research on (⑤   ) regulations tomorrow. Rick in accounting is a big football fan. You should ask him (⑥   ) he's interested in going.

W: All right, I will.

Part 3—Unit 6

✕ スクリプトの語注

- **supplier** 名 供給業者
- **put off** 延期する 同 postpone
- **according to ~** ~によれば
- **research** 名 調査
  動 **research** 調査する、研究する
- **regulation** 名 規則
  動 **regulate** 規制する
- **be interested in ~** ~に興味がある、~したい

B 重要語穴埋め 解答

1. **pair** 名 一対（2つからなる）
2. **installing** 原形は install 動 設置する、インストールする
3. **unfortunately** 副 残念ながら
   形 **unfortunate** 残念な、不運な
4. **present** 動 発表する
   名 **presentation** 発表 名 **presenter** 発表者
5. **export** 名 輸出 反 import 輸入
   動 **export** 輸出する
6. **whether** 接 ~かどうか

45

A 解答・解説

16.

What will the woman probably do this evening?

女性は、今晩おそらく何をしますか。

- (A) Set up a new computer
  新しいコンピューターをセットアップする
- (B) Visit a sports facility
  スポーツ施設を訪れる
- (C) Send some supplies
  備品を送る
- (D) Have a teleconference
  電話会議をする

正解 (D)

男性に今晩フットボールの試合に行けない理由を問われ、女性は Mr. Warren wants me to join a teleconference with him and one of our Danish suppliers. と答えている。ここから電話会議に参加することがわかる。

語注

- □ **facility** 名 施設
- □ **supplies** 名 備品
- □ **teleconference** 名 電話会議

17.

What does the man suggest the woman do?

男性は、女性に何をするよう提案していますか。

- (A) Postpone a meeting
  会議を延期する
- (B) Consult her superior
  彼女の上司に相談する

(C) Speak with a coworker
同僚と話をする

(D) Install some equipment
機器を設置する

正解 (C)

男性は女性に Rick in accounting is a big football fan. You should ask him whether he's interested in going. と言って、Rick に聞くことを勧めている。彼は同じ会社で働く人なので (C) Speak with a coworker と言い換えられる。

語注

- **postpone** 動 延期する
- **consult** 動 相談する
- **superior** 名 上司
- **coworker** 名 同僚
- **install** 動 設置する
- **equipment** 名 機器

18.

Why does the man decline the woman's offer?
なぜ男性は、女性の申し出を断っていますか。

(A) He is preparing for a presentation.
プレゼンテーションの準備をしている。

(B) He will take a client to dinner.
顧客を夕食へ連れていく。

(C) He is not interested in football.
フットボールに興味がない。

(D) He has already bought a ticket.
すでにチケットを買った。

解答・解説

正解 (A)

男性は女性にフットボールを見に行けない理由を I'm getting ready to present my research on export regulations tomorrow. と説明している。よって、(A) が正解。

語注

- **decline** 動 断る
- **prepare** 動 準備する
- **presentation** 名 プレゼンテーション
- **client** 名 顧客

スクリプト訳

問題16〜18は次の会話に関するものです。

W: Cliff、フットボールは好きですか。

M: はい。どうしてですか。

W: Sports Dome での今晩の試合のチケットが2枚あるのですが、私は行けないんです。

M: どうして行けないんですか。

W: Warren さんが、彼とデンマークの仕入先との電話会議に、私も参加してほしいとのことなのです。だから私のコンピューターにこのカメラを取り付けているのです。

M: なるほど。明日に延期はできないんですか。

W: Warren さんによると、仕入先は私たちとすぐに話したがっているそうなのです。

M: う〜ん、残念ですが、私は今夜は試合を見に行くことができません。明日、輸出規則に関する調査の発表をするので、準備中なのです。経理部の Rick ならフットボールの大ファンです。彼に行きたいかどうか聞いてみるべきですよ。

W: わかりました、そうします。

「音を使ったトレーニング（9〜10ページ 7 ）」で本物の実力を養成しましょう！ やるかやらないか、ここが分かれ目です。

Unit 7

A

Listen to Track 7 and answer the following questions.

19. What does the man want the woman to do?

    (A) Finalize a proposal
    (B) Comment on his report
    (C) Go over some survey results
    (D) Help him choose some designs

20. What is planned for tomorrow's meeting?

    (A) The man will show his work.
    (B) The woman will introduce a client.
    (C) The woman will evaluate a procedure.
    (D) The man will announce a product launch.

21. What will the woman most likely do after lunch?

    (A) Meet a client
    (B) Give a presentation
    (C) Stop by the man's office
    (D) Review some footwear designs

B

Listen again and fill in the blanks.

Questions 19 through 21 refer to the following conversation.

M: Allison, are you planning to (①_____) the meeting tomorrow afternoon?

W: Yes. In fact, I'll be giving a short (②_____) on the new line of sportswear we're (③_____) in the spring.

M: Oh, you must be busy. I was asked to (④_____) two of my latest shoe designs at the meeting. I was hoping you could look over some of my designs after lunch and let me know which ones you think I should (⑤_____) for tomorrow.

W: Sorry, I can't today. Mr. Edgar wants to introduce me to one of our (⑥_____). I'll be out for most of the afternoon. But I should have some time tomorrow.

M: Okay, I'll stop by again at around the same time.

スクリプトの語注

- **in fact** 実は
- **a line of ~** ~の商品群
- **look over** 目を通す
- **let me know** 私に知らせる
- **be out** 外出している
- **stop by** 立ち寄る

B 重要語穴埋め 解答

1. **attend** 動 出席する
   名 **attendance** 出席 名 **attendee** 出席者
2. **presentation** 名 プレゼンテーション
   動 **present** 発表する
3. **releasing** 原形は release 動 発売する
4. **introduce** 動 紹介する
   名 **introduction** 紹介、導入
   形 **introductory** 入門的な
5. **select** 動 選ぶ 同 choose
   名 **selection** 選択
6. **clients** (名 client の複数形) 顧客

19.

What does the man want the woman to do?

男性は、女性に何をしてほしいですか。

(A) Finalize a proposal
提案を仕上げる
(B) Comment on his report
彼のレポートについてコメントをする
(C) Go over some survey results
調査結果を確認する
(D) Help him choose some designs
彼がデザインを選ぶのを手伝う

正解 (D)

男性は I was hoping you could look over some of my designs after lunch and let me know which ones you think I should select for tomorrow. と言って、女性にデザインを見て選んでほしいことを伝えている。これは (D) のように言い換えることができる。

語注

- **finalize** 動 仕上げる
- **proposal** 名 提案
- **comment on ~** ~にコメントする
- **survey** 名 調査
- **result** 名 結果

20.

What is planned for tomorrow's meeting?

明日の会議のために何が計画されていますか。

(A) The man will show his work.
男性が彼の仕事を発表する。

(B) The woman will introduce a client.
   女性が顧客を紹介する。
(C) The woman will evaluate a procedure.
   女性が手順を評価する。
(D) The man will announce a product launch.
   男性が新商品の発売を発表する。

正解 (A)

明日のミーティングについて男性は I was asked to introduce two of my latest shoe designs at the meeting. と言っている。ここから彼が靴のデザインを紹介することがわかる。

語注

- **introduce** 動 紹介する
- **evaluate** 動 評価する
- **procedure** 名 手順
- **announce** 動 発表する
- **launch** 名 発売開始

21.

What will the woman most likely do after lunch?
女性は昼食の後おそらく何をしますか。

(A) Meet a client
   顧客に会う
(B) Give a presentation
   プレゼンテーションをする
(C) Stop by the man's office
   男性のオフィスに立ち寄る
(D) Review some footwear designs
   履物のデザインを見直す

A 解答・解説

正解 (A)

女性は午後の予定を Mr. Edgar wants to introduce me to one of our clients. と説明している。ここから顧客に会うことがわかるので、(A) が正解。

語注

□ **stop by** 立ち寄る　　□ **review** 動 見直す
□ **footwear** 名 履物

スクリプト訳

問題19～21は次の会話に関するものです。

M: Allison、明日の午後の会議には出席しますか。

W: ええ。実は、春に発売するスポーツウェアの新シリーズに関する短いプレゼンテーションをするんです。

M: ああ、忙しいんですね。私は会議で私の最新の靴のデザインのうち2つを紹介するよう言われたのです。あなたが昼食の後、私のデザインのいくつかに目を通して、明日のためにどれを選ぶべきだと思うか教えてもらえないかと思っていたのです。

W: ごめんなさい、今日はできません。Edgar さんが、私を顧客の1人に紹介したいそうです。私は午後はほとんど外出することになります。でも明日はいくらか時間があるはずです。

M: わかりました、またこのくらいの時間に立ち寄ります。

「音を使ったトレーニング (9～10ページ 7)」で本物の実力を養成しましょう! やるかやらないか、ここが分かれ目です。

Unit 8

A

Listen to Track 8 and answer the following questions.

22. In what department does the woman work?

(A) Personnel
(B) Sales
(C) Accounting
(D) Research

23. When will the meeting probably take place?

(A) On Monday
(B) On Tuesday
(C) On Thursday
(D) On Friday

24. What should the man do when he arrives for the meeting?

(A) Wait for Mr. Eliot
(B) Call Mel Chadwick
(C) Obtain a visitor pass
(D) Go to a conference room

B

Listen again and fill in the blanks.

Questions 22 through 24 refer to the following conversation.

W: Mr. Lorenzo, this is Mel Chadwick from the sales (①_____). I'm afraid we have to (②_____) your Friday meeting with Mr. Eliot. He has to fly to Montreal on Thursday and will be away for a couple of days. Meredith McLean will be in (③_____) of sales while he's gone.

M: Oh, could I meet with her instead? I was hoping to go over my designs for the fall catalog before next week.

W: I understand, Mr. Lorenzo. But Mr. Eliot wants to do that with you (④_____).

M: I see. Well, I'm (⑤_____) on Monday and Tuesday.

W: Tuesday morning is (⑥_____). Let's say 11 o'clock. When you get here, please have a seat in the lobby until he comes to get you.

🗙 スクリプトの語注

- **I'm afraid** 申し訳ありません
- **a couple of ～** 2、3の～
- **while ～** 接 ～の間
- **instead** 副 代わりに
- **go over** 見直す
- **have a seat** 座る
- **until** 接 ～まで

B 重要語穴埋め 解答

1. **department** 名 部署
2. **reschedule** 動 予定を変更する
3. **charge** 名 責任
   in charge of ～ ～の責任者である
4. **personally** 副 自ら
   形 **personal** 個人的な
5. **available** 形 空いている
   名 **availability** 空き状況
6. **ideal** 形 理想的な
   副 **ideally** 理想的に

A 解答・解説

22.

In what department does the woman work?

女性はどんな部署で働いていますか。

(A) Personnel
人事
(B) Sales
販売
(C) Accounting
経理
(D) Research
研究

正解 (B)

女性は冒頭、this is Mel Chadwick from the sales department. と述べているので、the sales department (販売部) で働いていることがわかる。Meredith McLean will be in charge of sales もヒントになる。

語注

□ **personnel** 名 人事　□ **accounting** 名 経理
□ **research** 名 研究

23.

When will the meeting probably take place?

会議はおそらくいつ行われますか。

(A) On Monday
月曜日
(B) On Tuesday
火曜日

(C) On Thursday
木曜日
(D) On Friday
金曜日

正解 (B)

男性が I'm available on Monday and Tuesday. と言ったのを受け、女性が Tuesday morning is ideal. と言っている。よって、会議は火曜日に行われると予想できる。

語注

□ **take place** 行われる

24.

What should the man do when he arrives for the meeting?

男性は、ミーティングのために到着したら何をすべきですか。

(A) Wait for Mr. Eliot
Eliot さんを待つ
(B) Call Mel Chadwick
Mel Chadwick に電話する
(C) Obtain a visitor pass
訪問者パスを入手する
(D) Go to a conference room
会議室に行く

正解 (A)

女性は最後に When you get here, please have a seat in the lobby until he comes to get you. と指示を与えている。この he は Mr. Eliot のことなので、(A) が正解。

解答・解説

語注

- **obtain** 動 入手する
- **conference** 名 会議

スクリプト訳

問題22～24は次の会話に関するものです。

W: Lorenzoさん、こちらは販売部のMel Chadwickです。申し訳ないのですが、金曜日のあなたとEliotさんとのミーティングの予定を変更しなければなりません。彼は木曜日に飛行機でモントリオールへ行かなければならないので2、3日間いないのです。彼の留守中はMeredith McLeanが販売部の責任者になります。

M: ああ、では代わりに彼女に会えますか。来週になる前に、秋のカタログのための私のデザインを見直したかったのです。

W: ご事情はわかります、Lorenzoさん。ですがEliotさんはあなたに自ら会いたいそうです。

M: なるほど。では私は月曜日と火曜日が空いています。

W: 火曜日の朝が望ましいのですが。11時でいかがでしょう。ここに到着なさったら、彼があなたを迎えに来るまで、ロビーでお座りになっていてください。

「音を使ったトレーニング (9～10ページ [7])」で本物の実力を養成しましょう！やるかやらないか、ここが分かれ目です。

Unit 9

Ⓐ

Listen to Track 9 and answer the following questions.

25. Who most likely is the man?

    (A) A salesperson
    (B) A travel agent
    (C) A mechanic
    (D) A reporter

26. What does the woman offer to do?

    (A) Book a hotel room
    (B) Contact her sister
    (C) Provide a brochure
    (D) Send an e-mail

27. What does the woman say about the hotel?

    (A) It is situated near the venue.
    (B) It overlooks the convention center.
    (C) It hosts automotive trade shows.
    (D) It features a range of amenities.

B

Listen again and fill in the blanks.

Questions 25 through 27 refer to the following conversation.

M: Kate, you've been to the Auto Show in Detroit, right?

W: Yes, I was there last year.

M: I thought so. Mr. Spencer is (①   ) Ryan and me there to (②   ) the show for a (③   ) article. Could you suggest a (④   ) hotel near the convention center?

W: Actually, I stayed at my sister's house. She works at The Regenta, though, and according to her it's the best place to stay in the city. Plus it's only a few blocks away from the show venue.

M: Do you know whether (⑤   ) there is expensive?

W: I think the prices for a room (⑥   ) between 100 and 200 dollars. I'll send you the hotel's Web page address by e-mail so you can check.

M: Thanks Kate.

スクリプトの語注

- **convention** 名 会議
- **stay** 動 滞在する
- **plus** 接 加えて
- **venue** 名 会場
- **whether** 接 〜かどうか
- **expensive** 形 値段が高い
  名 **expense** 費用

B 重要語穴埋め 解答

1. **sending** 原形は send 動 派遣する
2. **cover** 動 取材する
3. **feature** 名 特集
   動 **feature** 特集する、出演する、呼び物にする、備えている
4. **reasonable** 形 (価格が) 手ごろな
5. **accommodation** 名 宿泊設備
   動 **accommodate** 宿泊させる、収容する、(要求を) 受け入れる
6. **range** 動 及ぶ
   名 **range** 幅

A 解答・解説

25.

Who most likely is the man?

男性はおそらく誰ですか。

- (A) A salesperson
  販売員
- (B) A travel agent
  旅行代理業者
- (C) A mechanic
  整備士
- (D) A reporter
  報道記者

正解 (D)

男性が Mr. Spencer is sending Ryan and me there to cover the show for a feature article. と述べている。取材をして特集記事を書くのは記者なので、(D) が正解。

語注

- **travel agent** 旅行代理業者
- **mechanic** 名 整備士
- **reporter** 名 報道記者

26.

What does the woman offer to do?

女性は、何をすると申し出ていますか。

- (A) Book a hotel room
  ホテルの部屋を予約する
- (B) Contact her sister
  彼女の姉と連絡を取る

(C) Provide a brochure
パンフレットを提供する

(D) Send an e-mail
電子メールを送る

正解 (D)

女性は I'll send you the hotel's Web page address by e-mail so you can check. と言ってメールを送ることを申し出ている。よって、(D) が正解。

語注

- **offer** 動 申し出る
- **book** 動 予約する
- **contact** 動 連絡を取る
- **provide** 動 提供する

27.

What does the woman say about the hotel?
女性は、ホテルについて何と言っていますか。

(A) It is situated near the venue.
会場の近くにある。

(B) It overlooks the convention center.
コンベンションセンターが見渡せる。

(C) It hosts automotive trade shows.
自動車の展示会を主催している。

(D) It features a range of amenities.
さまざまな設備がある。

A 解答・解説

正解 (A)

ホテルの説明をする中で女性は Plus it's only a few blocks away from the show venue. と述べている。ここから、このホテルが会場の近くにあることがわかる。

語注

- **be situated ~** ~にある
- **overlook** 動 ~が見渡せる
- **host** 動 主催する
- **automotive** 形 自動車の
- **trade show** 展示会
- **amenity** 名 設備

スクリプト訳

問題25〜27は次の会話に関するものです。

M: Kate、あなたは Detroit の Auto Show に行ったことがありますよね？

W: ええ、昨年行きました。

M: そうだと思いました。Spencer さんが、特集記事のためにショーを取材するように、Ryan と私を派遣するのです。コンベンションセンターの近くで手ごろな値段のホテルはないでしょうか。

W: 実は、私は姉の家に泊まったのです。ですが彼女は The Regenta に勤めていて、彼女によれば、そこが市内に滞在するには最高の場所だそうです。さらにそこはショーの会場からほんの2、3ブロックです。

M: そこの宿泊費が高いかどうかわかりますか。

W: 一室の料金は100ドルから200ドルの間だと思います。あなたが確認できるように、電子メールでホテルのウェブページのアドレスを送りますよ。

M: ありがとう、Kate。

「音を使ったトレーニング（9~10ページ 7）」で本物の実力を養成しましょう！ やるかやらないか、ここが分かれ目です。

Unit 10

A

Listen to Track 10 and answer the following questions.

28. What field of business do the speakers most likely work in?

    (A) Entertainment
    (B) Construction
    (C) Technology
    (D) Advertising

29. Why will Mr. Pritchard be late?

    (A) His car has broken down.
    (B) He has to make a detour.
    (C) He is stuck in a traffic jam.
    (D) His vehicle is out of gas.

30. What is Elaine doing at a studio?

    (A) Supervising a recording session
    (B) Editing a film
    (C) Resolving a problem
    (D) Settling an argument

B

Listen again and fill in the blanks.

Questions 28 through 30 refer to the following conversation.

M: Sandra, have you seen Mr. Pritchard? He wanted to (①   ) how Tech-Logical can better merchandise its products. We were (②   ) to meet at 9:30.

W: He phoned a minute ago, Gus. The Highway 7 bridge is closed due to road work, so he'll have to take a longer (③   ) to get here. He told me to let you know he'll be late.

M: I hope he comes soon. Elaine will be using the meeting room at 11.

W: Actually, she just left in a (④   ). We're filming a TV commercial at the studio and (⑤   ) a problem came up that she has to take care of. She'll be there for a while.

M: I see. Well, please (⑥   ) me when Mr. Pritchard arrives.

✕ スクリプトの語注

- **merchandise** 動 売り込む、宣伝する
  名 **merchandise** 商品
- **due to ~** ~のため
- **let you know** あなたに知らる
- **film** 動 撮影する
  名 **film** 映画、フィルム、膜
- **take care of ~** ~に対処する
- **for a while** しばらくの間

B 重要語穴埋め 解答

1. **discuss** 動 話し合う
   名 **discussion** 討論
2. **supposed** 原形は suppose 動 思う
   be supposed to ~ ~することになっている
3. **route** 名 経路
4. **rush** 名 急ぎ
   in a rush 大急ぎで
5. **apparently** 副 どうやら
   形 **apparent** あたかも~のような、明白な
6. **contact** 動 連絡を取る
   名 **contact** 連絡、接触、交流、つて

28.

What field of business do the speakers most likely work in?

話し手は、おそらくどの業界で働いていますか。

(A) Entertainment
芸能
(B) Construction
建設
(C) Technology
技術
(D) Advertising
広告

正解 (D)

better merchandise its products や We're filming a TV commercial at the studio から話し手は advertising（広告）関連の分野で働いていることがわかる。

語注

- **field** 名 分野
- **entertainment** 名 芸能
- **construction** 名 建設
- **technology** 名 技術

29.

Why will Mr. Pritchard be late?

なぜ Pritchard さんは遅れますか。

(A) His car has broken down.
彼の車が故障した。
(B) He has to make a detour.
回り道をしなければならない。

(C) He is stuck in a traffic jam.
　　交通渋滞にはまっている。
(D) His vehicle is out of gas.
　　彼の車のガソリンが切れている。

正解 (B)

Mr. Pritchard が遅れている理由を女性は The Highway 7 bridge is closed due to road work, so he'll have to take a longer route to get here. と説明している。longer route を detour に言い換えた (B) が正解。

語注

- **detour** 名 回り道
- **stuck** 形 動きが取れない
- **traffic jam** 交通渋滞
- **gas** 名 ガソリン（gasoline の略）

30.

What is Elaine doing at a studio?
Elaine は、スタジオで何をしていますか。

(A) Supervising a recording session
　　レコーディングセッションを監督している
(B) Editing a film
　　映像を編集している
(C) Resolving a problem
　　問題を解決している
(D) Settling an argument
　　議論に決着をつけている

正解 (C)

Elaine のことを女性は We're filming a TV commercial at the studio and apparently a problem came up that she has to take care of. と説明している。ここから彼女が問題の処理をしていることがわかる。

語注

- **supervise** 動 監督する
- **edit** 動 編集する
- **resolve** 動 解決する
- **settle** 動 決着をつける
- **argument** 名 議論

スクリプト訳

問題28〜30は次の会話に関するものです。

M: Sandra、Pritchard さんを見かけませんでしたか。 彼は、Tech-Logical 社がどうやって製品をよりうまく宣伝できるかを話し合いたがっていました。私たちは9:30に会うことになっていたんですが。

W: 彼はちょっと前に電話をかけてきましたよ、Gus。幹線道路7号線の橋が道路工事で閉鎖されているので、ここに来るのに遠回りをしなくてはならないのです。彼が遅れることをあなたに知らせるように言っていました。

M: 彼がすぐに来るといいのですが。Elaine が11時から会議室を使うんです。

W: 実は彼女はつい先ほど大急ぎで出かけたんです。私たちはスタジオでテレビコマーシャルを撮影しているのですが、どうやら彼女が対処しなければならない問題が起こったようです。彼女はしばらくはあちらにいるでしょう。

M: わかりました。では、Pritchard さんが到着したら、私に連絡してください。

「音を使ったトレーニング (9〜10ページ 7)」で本物の実力を養成しましょう! やるかやらないか、ここが分かれ目です。

Unit 11

A

Listen to Track 11 and answer the following questions.

31. What does the woman want to do?

    (A) Find an office
    (B) Obtain a new pass
    (C) Make a reservation
    (D) Renew her driver's license

32. Where does the man work?

    (A) At a cafeteria
    (B) At a security office
    (C) At a police station
    (D) At a job center

33. What did the woman do on Friday?

    (A) She started a new job.
    (B) She got an identification card.
    (C) She went to a café.
    (D) She lost her purse.

B

Listen again and fill in the blanks.

Questions 31 through 33 refer to the following conversation.

W: Excuse me. I realized yesterday that I've (①   ) my security pass. I work on the seventh floor at TX Logistics. Can I get a new one here?

M: This is the building's security control center. But before we can (②   ) a new one, we need to (③   ) that you work here. Do you have a piece of (④   ) with your photo on it, such as a driver's license?

W: Yes, here's my license.

M: Oh, Ms. Baxter. A waitress from the Bilberry Café brought us your pass on Friday.

W: That's a (⑤   ). It must have slipped out of my purse while I was there that night.

M: Well, if it happens again, please (⑥   ) it missing as soon as you notice it's gone.

✘ スクリプトの語注

- □ **realize** 動 気が付く
  - 名 **realization** 認識、実現
- □ **slip** 動 滑る
- □ **while** 接 〜の間
- □ **happen** 動 起こる
- □ **as soon as** すぐに
- □ **notice** 動 気が付く

B 重要語穴埋め 解答

1. **misplaced** 原形は misplace 動 置き忘れる
2. **issue** 動 発行する
   - 名 **issue** 論点、問題、事柄、(雑誌の) 号
3. **confirm** 動 確認する
   - 名 **confirmation** 確認
4. **identification** 名 身分証明証
   - 動 **identify** 認識する、識別する
5. **relief** 名 安心
   - 動 **relieve** 和らげる
6. **report** 動 報告する
   - 名 **report** 報告書

A 解答・解説

31.

What does the woman want to do?

女性は、何をしたいですか。

(A) Find an office
オフィスを見つける
(B) Obtain a new pass
新しいパスを入手する
(C) Make a reservation
予約をする
(D) Renew her driver's license
運転免許証を更新する

正解 (B)

女性は冒頭、セキュリティパスをなくしたことを説明し、Can I get a new one here? と頼んでいる。この a new one は a new security pass のこと。よって、get を obtain に言い換えた (B) が正解。

語注

□ **obtain** 動 得る　　□ **reservation** 名 予約
□ **renew** 動 更新する

32.

Where does the man work?

男性はどこで働いていますか。

(A) At a cafeteria
カフェテリア
(B) At a security office
警備事務所

(C) At a police station
警察署
(D) At a job center
職業安定所

正解 (B)

男性は、This is the building's security control center. と言っている。ここから彼が警備 (security) 関係の部署で働いていることがわかる。

語注

□ **security** 名 警備

33.

What did the woman do on Friday?
女性は、金曜日に何をしましたか。

(A) She started a new job.
新しい仕事を始めた。
(B) She got an identification card.
身分証明証を入手した。
(C) She went to a café.
カフェへ行った。
(D) She lost her purse.
ハンドバッグをなくした。

正解 (C)

男性がカフェのウェイトレスが金曜日にパスを届けに来たことを伝えると、女性は、It must have slipped out of my purse while I was there that night. と言っている。ここから彼女が金曜日にそのカフェに行ったことがわかる。

A 解答・解説

語注

- **identification** 名 身分証明証
- **purse** 名 ハンドバッグ（イギリス英語では「財布」）

スクリプト訳

問題31～33は次の会話に関するものです。

W: すみません。昨日気付いたのですが、私のセキュリティパスをなくしてしまったんです。私は7階のTX Logisticsに勤務しています。新しいパスはここでもらえますか。

M: ここはビルのセキュリティ管理センターです。ですが新しいものを発行する前に、あなたがここで働いていることを確認する必要があります。運転免許証などのあなたの写真が付いた身分証明証はお持ちですか。

W: ええ、これが私の免許証です。

M: ああ、Baxterさん。金曜日にBilberry Caféのウエートレスがあなたのパスを届けてくれましたよ。

W: それはよかった。あの夜あそこにいる間に、私のハンドバッグから落ちたに違いありません。

M: もしまた同じことがあったら、それがなくなったと気付き次第、すぐにないことを報告してくださいね。

「音を使ったトレーニング（9～10ページ 7）」で本物の実力を養成しましょう！やるかやらないか、ここが分かれ目です。

Unit 12

A

Listen to Track 12 and answer the following questions.

34. What are the speakers discussing?

    (A) Placing advertisements on TV
    (B) Changing product displays
    (C) Meeting consumer demand
    (D) Testing printer quality

35. What suggestion does the woman make?

    (A) Rearranging some merchandise
    (B) Recalculating some figures
    (C) Adjusting some speakers
    (D) Ordering more products

36. What will the man probably do next?

    (A) Print some pictures
    (B) Move computers
    (C) Get some paper
    (D) Go to aisle 14

B

Listen again and fill in the blanks.

Questions 34 through 36 refer to the following conversation.

M: Maggie, according to our sales
(①   ), the Cyrus X12
printer isn't selling well. At our other
(②   ), about three per
day are being sold.

W: Is that so? What are they doing
(③   )?

M: Well, I called Jim to find out. He said they've put
all the X12s in the computer department and
not in the printer section. They've also
(④   ) print samples on
a wall behind the printers.

W: We don't have (⑤   )
space in our computer department at the
moment. But we could move the speakers from
(⑥   ) 14 and put the
X12s there. Then shoppers in the computer
department would be able to see them.

M: Let's do that now. And then I'll get some paper
to print out some samples.

スクリプトの語注

- **sell well** （商品が）よく売れる
- **are being sold** （進行形の受動態）売れている
- **department** 名 売り場
- **section** 名 売り場
- **at the moment** 現在
- **sample** 名 見本

B 重要語穴埋め 解答

1. **figures** （名 figure の複数形）数字
   sales figures 売上高
2. **location** 名 場所
   動 **locate** （場所を）見つける
   形 **located** 位置する
3. **differently** 副 違うように
   形 **different** 違う
   名 **difference** 違い
4. **displayed** 原形は display 動 陳列する
   名 **display** 陳列、表示
5. **extra** 形 余分の
6. **aisle** 名 通路

A 解答・解説

34.

What are the speakers discussing?

話し手は何について話していますか。

(A) Placing advertisements on TV
テレビに広告を出す
(B) Changing product displays
商品の展示を変える
(C) Meeting consumer demand
消費者需要を満たす
(D) Testing printer quality
プリンターの品質を検査する

正解 (B)

話し手はプリンターの販売数を伸ばすため、他店の事例を参考に商品の並べ方を変えることを話し合っている。よって、(B) が正解。

語注

- **discuss** 動 話し合う
- **place** 動 (広告、注文などを) 出す
- **advertisement** 名 広告
- **display** 名 展示
- **consumer** 名 消費者
- **demand** 名 需要
- **quality** 名 品質

35.

What suggestion does the woman make?

女性は、どんな提案をしていますか。

(A) Rearranging some merchandise
商品の位置を変える

(B) Recalculating some figures
数字を計算し直す
(C) Adjusting some speakers
スピーカーを調節する
(D) Ordering more products
もっと製品を注文する

正解 (A)

女性は、we could move the speakers from aisle 14 and put the X12s there. と言って、商品を動かすことを提案している。よって、(A) のように言い換えることができる。

語注

- **suggestion** 名 提案
- **rearrange** 動 位置を変える
- **merchandise** 動 商品
- **recalculate** 動 計算し直す
- **figure** 名 数字   □ **adjust** 動 調節する

36.

What will the man probably do next?
男性は次におそらく何をしますか。

(A) Print some pictures
写真をプリントする
(B) Move computers
コンピューターを移動する
(C) Get some paper
紙を取ってくる
(D) Go to aisle 14
14番通路に行く

A 解答・解説

正解 (D)

14番通路からスピーカーを動かし、そこにプリンターを置こうという提案を受けて、男性は Let's do that now. と言っている。ここから14番通路に行くことがわかる。なお、And then I'll get some paper と言っているので、紙を取ってくるのはプリンターを動かした後になる。

語注

□ **probably** 副 おそらく　□ **aisle** 名 通路

スクリプト訳

問題34〜36は次の会話に関するものです。

M: Maggie、我々の販売実績によると、Cyrus X12プリンターの売れ行きがよくありません。別の店舗では、1日およそ3台は売れています。

W: そうなんですか。あちらでは何を違うやり方でやってるんでしょうか。

M: ええ、Jim に電話して聞いてみました。彼が言うには、あちらではX12をすべて、プリンター売り場でなくコンピューター売り場に置いているのです。それとプリンターの後ろの壁に印刷見本も掲示しています。

W: 我々は今のところコンピューター売り場に余分のスペースはありません。ですが、14番通路からスピーカーを移動すれば、そこにX12を置けます。そうすれば買い物客はコンピューター売り場で商品を見ることができるでしょう。

M: すぐにそうしましょう。そしてその後私は紙を取ってきて見本を印刷しましょう。

「音を使ったトレーニング（9〜10ページ **[7]**）」で本物の実力を養成しましょう！ やるかやらないか、ここが分かれ目です。

Unit 13

A

Listen to Track 13 and answer the following questions.

37. What are the speakers mainly discussing?

　　(A) Advertising strategies
　　(B) A product launch
　　(C) Plans for an event
　　(D) An office relocation

38. What does the man suggest?

　　(A) Abandoning a plan
　　(B) Reviewing a document
　　(C) Changing an approach
　　(D) Accepting a proposal

39. What does the woman ask the man to do?

　　(A) Evaluate employee performance
　　(B) Recommend a supplier
　　(C) Review a financial plan
　　(D) Design a new product

B

Listen again and fill in the blanks.

Questions 37 through 39 refer to the following conversation.

W: I've called this meeting because our sales
(①_____) have dropped
during the last (②_____).
We need to come up with some new ideas on
how to increase sales.

M: Ms. Woodard, our long-selling products are well
known by (③_____). But our
new products, such as our home cleaners, are
not that popular. So I think we should have more
(④_____) on these goods.

W: I agree, but we can't increase this year's
advertising (⑤_____).

M: Then we need to spend less money on marketing
the older products and more on promoting the
new ones.

W: Okay, Josh, please go over our advertising
budget this week and write down your
(⑥_____) for how that
money should be spent.

M: All right. I'll get started on that today.

スクリプトの語注

- **call a meeting** 会議を招集する
- **drop** 動 (売上などが) 落ち込む
- **increase** 動 増やす
  名 **increase** 増加
- **well known** よく知られている
- **advertising** 名 広告
  動 **advertise** 宣伝する
  名 **advertisement** 広告
- **go over** 調べる
- **get started on ~** ~を始める

B 重要語穴埋め 解答

1. **revenues** (名 revenue の複数形) 収入
2. **quarter** 名 四半期
   形 **quarterly** 四半期の
   副 **quarterly** 四半期ごとに
3. **consumers** (名 consumer の複数形) 消費者
   動 **consume** 消費する
   名 **consumption** 消費
4. **promotions** (名 promotion の複数形) 宣伝
   動 **promote** 宣伝する、(人を) 昇進させる
5. **budget** 名 予算
6. **proposal** 名 企画案
   動 **propose** 提案する

37.

What are the speakers mainly discussing?

話し手は、主に何を話し合っていますか。

- (A) Advertising strategies
  広告戦略
- (B) A product launch
  新商品の発売
- (C) Plans for an event
  イベントの計画
- (D) An office relocation
  オフィスの移転

正解 (A)

「もっと宣伝するべき」「でも予算は増やせない」「新商品の宣伝を増やす」というようなやり取りが行われているので、(A) Advertising strategies が正解。

語注

- □ **mainly** 副 主に
- □ **advertising** 名 広告
- □ **strategy** 名 戦略
- □ **launch** 名 販売開始
- □ **relocation** 名 移転

38.

What does the man suggest?

男性は、何を提案していますか。

- (A) Abandoning a plan
  計画を断念する
- (B) Reviewing a document
  文書を見直す

(C) Changing an approach
手法を変更する

(D) Accepting a proposal
提案を受け入れる

正解 (C)

男性は、we need to spend less money on marketing the older products and more on promoting the new ones. と提案している。「前からある商品に対する宣伝費を減らして、その分新しい商品に回す」というのは宣伝手法の変更と見ることができるので、(C) が正解。

語注

- □ **suggest** 動 提案する
- □ **review** 動 見直す
- □ **accept** 動 受け入れる
- □ **abandon** 動 断念する
- □ **approach** 名 やり方
- □ **proposal** 名 提案

39.

What does the woman ask the man to do?
女性は、男性に何をするよう頼んでいますか。

(A) Evaluate employee performance
従業員の働きぶりを評価する

(B) Recommend a supplier
納入業者を推薦する

(C) Review a financial plan
財務計画を見直す

(D) Design a new product
新製品を設計する

解答・解説

正解 (C)

女性は男性に、please go over our advertising budget this week and write down your proposal for how that money should be spent. と頼んでいる。go over を review に、budget を financial plan に言い換えた (C) が正解。

語注

- **evaluate** 動 評価する
- **performance** 名 仕事ぶり
- **recommend** 動 推薦する
- **review** 動 見直す
- **financial** 形 財務の
- **design** 動 設計する

スクリプト訳

問題37~39は次の会話に関するものです。

W: 私がこの会議を招集したのは、我が社の販売収入が直近の四半期の間に落ち込んだからです。我々は、売上高を伸ばす方法について新しいアイデアを出す必要があります。

M: Woodardさん、我々のロングセラー商品は消費者によく知られています。しかし、家庭用クリーナーなどの新商品はそれほど人気がありません。ですから我々はこれらの商品をもっと宣伝するべきだと思います。

W: 同感ですが、今年の広告予算は増やせないのです。

M: でしたら旧来の商品の宣伝費を減らして、新商品の宣伝費を増やす必要があります。

W: わかりました、Josh、今週我々の広告予算を調べて、その使いみちについての企画案を書き出してください。

M: 了解です。今日にもとりかかります。

「音を使ったトレーニング (9~10ページ [7])」で本物の実力を養成しましょう! やるかやらないか、ここが分かれ目です。

Unit 14

A

Listen to Track 14 and answer the following questions.

40. What problem does the woman mention?

  (A) She has not been given a membership number.
  (B) She was displeased with a product.
  (C) She cannot find one of her credit cards.
  (D) She is unable to use a service.

41. Why does the man mention a Web site?

  (A) It explains how to operate a product.
  (B) It provides account information.
  (C) It includes a registration page.
  (D) It offers technical advice.

42. What will the woman probably do next?

  (A) Call a different number
  (B) Register an account
  (C) Change a password
  (D) E-mail an administrator

B

Listen again and fill in the blanks.

Questions 40 through 42 refer to the following conversation.

M: Dominion Savings & Trust. How can I help you?

W: Hello, I'm calling because I'm having (①   ) with my online bank account. When I type in my account number, a message (②   ) me that the number is invalid.

M: I see. And when was the last time you were able to (③   ) the account?

W: It's new, so I haven't used the service.

M: Did you have any (④   ) when you registered the account online?

W: Wasn't the account registered when I (⑤   ) it there at the bank?

M: Actually, you have to visit the online account page on our Web site to (⑥   ) the registration process. After that, you should be able to access your account.

W: Okay, I'll try that now. Thank you.

スクリプトの語注

- **online** 副 オンラインで
  形 **online** オンラインの
- **account** 名 口座
- **type in** (キーボードで)打ち込む
- **invalid** 形 無効な
- **register** 動 登録する
  名 **registration** 登録
- **process** 名 手続き
  動 **process** 処理する

B 重要語穴埋め 解答

1. **trouble** 名 困難
   動 **trouble** 困らせる
2. **informs** 原形は inform 動 知らせる
   名 **information** 情報
   形 **informative** 役に立つ
3. **access** 動 アクセスする
   名 **access** アクセス、交通の便、行く手段
4. **difficulties** (名 difficultyの複数形) 困難 同 trouble
5. **opened** 原形は open 動 開く
6. **complete** 動 終える
   形 **complete** 完全な
   名 **completion** 完成

解答・解説

40.

What problem does the woman mention?

女性は、どんな問題について述べていますか。

(A) She has not been given a membership number.
会員番号を与えられていない。
(B) She was displeased with a product.
製品に不満である。
(C) She cannot find one of her credit cards.
彼女のクレジットカードが1枚見つからない。
(D) She is unable to use a service.
あるサービスを利用できない。

正解 (D)

女性は、I'm calling because I'm having trouble with my online bank account. と述べた後、銀行のオンライン口座の不具合を説明している。よって、(D)が正解。

語注

□ **mention** 動 述べる　　□ **displeased** 形 不満な
□ **be unable to ～** ～できない

41.

Why does the man mention a Web site?

なぜ、男性はウェブサイトのことを述べていますか。

(A) It explains how to operate a product.
製品の操作方法を説明している。
(B) It provides account information.
アカウント情報を提供している。

94　Part 3—Unit 14

(C) It includes a registration page.
登録ページがある。

(D) It offers technical advice.
技術的なアドバイスを与えている。

正解 (C)

男性は、you have to visit the online account page on our Web site to complete the registration process. と述べて、登録手続きをするためにウェブサイト上のページに行くように伝えている。よって、(C) が正解。

語注

- **explain** 動 説明する
- **provide** 動 提供する
- **include** 動 含む
- **offer** 動 与える
- **technical** 形 技術的な

42.

What will the woman probably do next?
女性は、次におそらく何をしますか。

(A) Call a different number
別の番号に電話する

(B) Register an account
口座を登録する

(C) Change a password
パスワードを変更する

(D) E-mail an administrator
管理者に電子メールを送る

A 解答・解説

正解 (B)

オンライン上で登録手続きをするように言われて、女性は、Okay, I'll try that now. と答えている。よって、これから口座を登録することがわかるので、(B) が正解。

語注

- **e-mail** 動 電子メールを送る
- **administrator** 名 管理者

スクリプト訳

問題40～42は次の会話に関するものです。

M: Dominion Savings & Trust です。どのようなご用件でしょうか。

W: もしもし、オンライン預金口座で手こずっているので電話しています。私の口座番号を入力すると、番号が無効だというメッセージが出るんです。

M: なるほど。最後に口座にアクセスできたのはいつでしたか。

W: 新規なので、まだサービスを利用していないんです。

M: オンラインで口座を登録したときには、問題はなかったですか。

W: 銀行で口座を開設したときにアカウントは登録されたのではないんですか。

M: 実は、当行のウェブサイトのオンライン口座のページで登録手続きを完了していただく必要があるんです。その後で口座にアクセスしていただきたいのです。

W: わかりました、今やってみます。ありがとうございます。

「音を使ったトレーニング (9～10ページ **7**)」で本物の実力を養成しましょう! やるかやらないか、ここが分かれ目です。

Unit 15

A

Listen to Track 15 and answer the following questions.

43. What is the man doing?

   (A) Distributing some guidelines
   (B) Making changes to a schedule
   (C) Explaining some survey results
   (D) Asking for feedback on a proposal

44. What is the woman advised to do during a fire drill?

   (A) Take an elevator to the first floor
   (B) Go to the building's south exit
   (C) Bring a list with her to work
   (D) Use an indoor stairway

45. What does the woman say she will do today?

   (A) Send out a memorandum
   (B) Compare techniques
   (C) Dispose of a document
   (D) Contact a security office

B

Listen again and fill in the blanks.

Questions 43 through 45 refer to the following conversation.

M: Excuse me. I was asked to
(①   ) this out to
everyone. It's a list of procedures to
(②   ) during Friday's fire
drill.

W: I already have that memo. I received it last summer. Or has something changed?

M: A couple of points are different. For instance, the outdoor fire escape on the south side of the building should be used only in an actual
(③   ). During drills, please use the stairs inside the building.

W: I see. What should I do if I'm on an elevator when the alarm (④   )?

M: All the elevators will be sent to the first floor before the drill and will
(⑤   ) off until it's over.

W: Thanks for the information. I'll get
(⑥   ) of the old document today.

スクリプトの語注

- **procedure** 名 手順
- **receive** 動 受け取る
- **for instance** 例えば 同 for example
- **actual** 形 実際の
  副 **actually** 実は
- **alarm** 名 警報
- **be over** 終わる

B 重要語穴埋め 解答

1. **hand** 動 手渡す
   hand out 配る
2. **follow** 動 従う
   形 **following** 次の
3. **emergency** 名 緊急時
   形 **emergent** 緊急の
4. **rings** 原形は ring 動 鳴る
5. **remain** 動 〜のままである
6. **rid** 動 取り除く
   get rid of 〜 〜を処分する

解答・解説

43.

What is the man doing?

男性は、何をしていますか。

(A) Distributing some guidelines
ガイドラインを配布している
(B) Making changes to a schedule
スケジュールを変更している
(C) Explaining some survey results
調査結果を説明している
(D) Asking for feedback on a proposal
企画案のフィードバックを求めている

正解 (A)

男性は冒頭、I was asked to hand this out to everyone. It's a list of procedures to follow during Friday's fire drill. と言っているので、手順が書かれたリストを配っていることがわかる。hand out を distributing に、list of procedures を guidelines に言い換えた (A) が正解。

語注

- distribute 動 配布する
- explain 動 説明する
- survey 名 調査
- result 名 結果
- proposal 名 企画案

44.

What is the woman advised to do during a fire drill?

女性は、防火訓練中に何をするよう勧められていますか。

(A) Take an elevator to the first floor
エレベーターで1階へ行く

(B) Go to the building's south exit
建物の南出口へ行く
(C) Bring a list with her to work
職場にリストを持ってくる
(D) Use an indoor stairway
屋内の階段を使う

正解 (D)

男性は女性に、During drills, please use the stairs inside the building. というアドバイスをしている。これは (D) のように言い換えることができる。

語注

□ **advise** 動 勧める　　□ **exit** 名 出口
□ **indoor** 形 屋内の　　□ **stairway** 名 階段

45.

What does the woman say she will do today?
女性は、今日何をすると言っていますか。

(A) Send out a memorandum
メモを出す
(B) Compare techniques
方法を比較する
(C) Dispose of a document
書類を処分する
(D) Contact a security office
警備室に連絡する

正解 (C)

会話の最後で女性は、I'll get rid of the old document today. と言っている。よって、get rid of を dispose of に言い換えた (C) が正解。

語注

- **compare** 動 比べる
- **technique** 名 方法
- **dispose of 〜** 〜を処分する
- **contact** 動 連絡する

スクリプト訳

問題43〜45は次の会話に関するものです。

M: すみません。全員にこれを配るよう頼まれたんです。金曜日の防火訓練中に行う手順のリストです。

W: そのメモはもう持っていますよ。去年の夏にもらったんです。それとも何か変更がありましたか。

M: 2、3点違っています。例えば、建物の南側の外の階段は、実際の非常時にのみ使用されます。訓練中は、屋内の階段を使ってください。

W: わかりました。エレベーターに乗っているときに警報が鳴ったらどうすればいいですか。

M: エレベーターは全部、訓練の前に1階におろされ、訓練が終わるまで停止されたままになります。

W: 情報をありがとうございます。古い資料は今日処分しておきます。

「音を使ったトレーニング（9〜10ページ **7**）」で本物の実力を養成しましょう！ やるかやらないか、ここが分かれ目です。

Unit 16

Listen to Track 16 and answer the following questions.

46. What does the woman want to do?

(A) Meet an employee
(B) Move some equipment
(C) Clean out a room
(D) Store some samples

47. Where does the conversation most likely take place?

(A) At a dentist office
(B) At a storage facility
(C) At a scientific laboratory
(D) At a publishing company

48. Where was the assistant position advertised?

(A) On a Web site
(B) In a magazine
(C) On the radio
(D) In a newspaper

B

Listen again and fill in the blanks.

Questions 46 through 48 refer to the following conversation.

W: Kevin, could you give me a hand taking these microscopes to the (①   ) room? They're really heavy.

M: I have a dentist (②   ) in half an hour, Mariko, so I've got to get going soon. I don't think Mitch is busy, though. He's in the staff room at the moment.

W: Who's that?

M: Mitch is the new lab (③   ). He started working here this morning.

W: I didn't know we had been advertising a (④   ). When I looked at our Web site last week, there weren't any announcements about new job openings.

M: That's because the job was advertised in *Science Weekly*. A lot of labs (⑤   ) to this one receive that magazine, so we decided to (⑥   ) the ad in an issue.

❌ スクリプトの語注

- **give ~ a hand** ~に手を貸す
- **at the moment** 今
- **advertise** 動 宣伝する、広告を出す
  名 **advertisement** 宣伝、広告
- **announcement** 名 告知
  動 **announce** 発表する、知らせる
- **opening** 名 (仕事の)空き
- **decide** 動 決める
  名 **decision** 決定
- **issue** 名 (雑誌の)号
  動 **issue** 出す

B) 重要語穴埋め 解答

1. **storage** 名 倉庫
   動 **store** 保管する
2. **appointment** 名 予約
   動 **appoint** 任命する、(日時・場所などを)決める
3. **assistant** 名 助手
   動 **assist** 助ける
   名 **assistance** 援助、手伝い
4. **position** 名 職
5. **similar** 形 似ている
6. **list** 動 載せる
   名 **list** リスト、一覧表

46.

What does the woman want to do?

女性は、何をしたいですか。

(A) Meet an employee
   従業員に会う
(B) Move some equipment
   機器を移動する
(C) Clean out a room
   部屋を掃除する
(D) Store some samples
   サンプルを保管する

正解 (B)

女性は冒頭、could you give me a hand taking these microscopes to the storage room? と言って顕微鏡を運ぶのを手伝うように頼んでいる。microscopes は equipment の一種なので (B) のように言い換えることができる。

語注

□ **employee** 名 従業員　　□ **equipment** 名 機器
□ **store** 動 保管する

47.

Where does the conversation most likely take place?

この会話はおそらくどこで行われていますか。

(A) At a dentist office
   歯科医のオフィス
(B) At a storage facility
   保管施設

(C) At a scientific laboratory
科学研究所

(D) At a publishing company
出版社

正解 (C)

laboratory の省略形である lab という語が数回出てくる。また、microscope(顕微鏡)を使う場所であることや *Science Weekly* に求人を出したことなどから、ここが scientific laboratory であることがわかる。

語注

- □ **take place** 行われる
- □ **dentist** 名 歯科医
- □ **storage** 名 倉庫
- □ **facility** 名 施設
- □ **scientific** 形 科学的な
- □ **laboratory** 名 研究所
- □ **publishing** 名 出版

48.

Where was the assistant position advertised?

助手の職はどこに広告されましたか。

(A) On a Web site
ウェブサイト

(B) In a magazine
雑誌

(C) On the radio
ラジオ

(D) In a newspaper
新聞

正解 (B)

最後に男性が、the job was advertised in *Science Weekly*. A lot of labs similar to this one receive that magazine と言っているので、*Science Weekly* という雑誌に求人広告が出されたことがわかる。

語注

- **position** 名 職
- **advertise** 動 宣伝する、広告を出す

スクリプト訳

問題 46 ～ 48 は次の会話に関するものです。

W: Kevin、これらの顕微鏡を倉庫へ持っていくのに手を貸してもらえますか。 すごく重いんです。

M: 私は 30 分後に歯医者の予約があるんですよ、Mariko、なのですぐに行かなければなりません。Mitch は忙しくないと思いますよ。彼は今スタッフルームにいます。

W: それは誰ですか。

M: Mitch は、研究所の新しい助手です。今朝ここで働き始めたんです。

W: うちが求人広告を出していたとは知りませんでした。先週うちのウェブサイトを見たときは、新規の求人についての告知はありませんでしたよ。

M: 求人広告は『Science Weekly』に載せたからですよ。ここと似たようなたくさんの研究所がその雑誌を受け取っているので、ある号に広告を載せることにしたのです。

「音を使ったトレーニング (9～10ページ [7])」で本物の実力を養成しましょう！ やるかやらないか、ここが分かれ目です。

Unit 17

A

Listen to Track 17 and answer the following questions.

49. What did the woman do yesterday?

    (A) She installed some software.
    (B) She went away on a business trip.
    (C) She conducted a workshop.
    (D) She printed photographs at a camera shop.

50. What does the man ask the woman to do?

    (A) Confirm a new schedule
    (B) Return to his company
    (C) Look over some slides
    (D) Make a reservation

51. What problem does the woman mention?

    (A) She has a scheduling conflict.
    (B) Her contract will expire in May.
    (C) Traffic has not been moving smoothly.
    (D) She forgot to bring her computer.

B

Listen again and fill in the blanks.

Questions 49 through 51 refer to the following conversation.

M: Hi Clair. This is Mark from Print Studios. I'm calling to tell you we were really (①_____) with yesterday's workshop. Thanks to you, our new photo (②_____) software is much easier to use.

W: I'm glad you found it (③_____). I do (④_____), however, for how slow the slideshow was. There was something wrong with my laptop.

M: The slideshow was good. (⑤_____), everything ran smoothly. And I want to invite you back to our office to train some new employees at the end of this month.

W: I'd like to, but I'll be away on business until May 30. Could we (⑥_____) something for next month?

M: Sure. How about June 2?

W: Okay, I'll mark it on my calendar.

スクリプトの語注

- **something wrong with ～** ～の何かがおかしい
- **smoothly** 副 順調に
  - 形 **smooth** 順調な、なめらかな
- **invite** 動 招待する
  - 名 **invitation** 招待
- **train** 動 訓練する
  - 名 **training** トレーニング
- **be away on business** 出張に出ている
- **how about ～?** ～はどうですか
- **mark** 動 印を付ける
  - 名 **mark** 印、マーク

B) 重要語穴埋め 解答

1. **pleased** 形 満足している
2. **editing** 原形は edit 動 編集する
   - 名 **editor** 編集者
   - 形 **editorial** 編集の
3. **valuable** 形 役立つ
   - 名 **value** 価値
   - 動 **value** 価値を認める
4. **apologize** 動 謝る
   - 名 **apologize** 謝罪
5. **Overall** 副 全体として
6. **arrange** 動 手配する
   - 名 **arrangement** 準備、手配、配置

49.

What did the woman do yesterday?
女性は昨日、何をしましたか。

(A) She installed some software.
ソフトウェアをインストールした。
(B) She went away on a business trip.
出張に行った。
(C) She conducted a workshop.
ワークショップを行った。
(D) She printed photographs at a camera shop.
カメラ店で写真をプリントした。

正解 (C)

男性が冒頭、I'm calling to tell you we were really pleased with yesterday's workshop. と言っているので、女性が昨日、ワークショップを行ったことがわかる。よって、(C) が正解。

語注
- install 動 インストールする
- conduct 動 行う

50.

What does the man ask the woman to do?
男性は、女性に何をするよう頼んでいますか。

(A) Confirm a new schedule
新しいスケジュールを確認する
(B) Return to his company
彼の会社に戻る
(C) Look over some slides
スライドに目を通す

(D) Make a reservation
   予約を取る

正解 (B)

男性は、I want to invite you back to our office to train some new employees at the end of this month. と言っている。これは再び彼の会社に行って新入社員に対して研修をすることを頼んでいることになるので、(B) が正解。

語注

□ **confirm** 動 確認する　　□ **return** 動 戻る
□ **reservation** 名 予約

51.

What problem does the woman mention?
女性は、どんな問題について述べていますか。

(A) She has a scheduling conflict.
   彼女はスケジュールがかち合う。
(B) Her contract will expire in May.
   彼女の契約は5月で期限が切れる。
(C) Traffic has not been moving smoothly.
   交通がスムーズに動いていない。
(D) She forgot to bring her computer.
   彼女はコンピューターを持ってくることを忘れた。

正解 (A)

今月中にまた研修をやってほしいと頼んでいる男性に対して、女性は、I'll be away on business until May 30. と言っている。これは a scheduling conflict (スケジュールがかち

A 解答・解説

合うこと) と言える。

語注

- □ **mention** 動 述べる
- □ **contract** 名 契約
- □ **traffic** 名 交通
- □ **conflict** 名 衝突
- □ **expire** 動 期限が切れる

スクリプト訳

問題49〜51は次の会話に関するものです。

M: もしもし、Clair。こちらは Print Studios の Mark です。私たちが昨日のワークショップにとても満足したと伝えたくて電話したんです。あなたのおかげで、我が社の新しい写真編集ソフトはずっと使いやすくなりました。

W: お役に立ったようで嬉しいです。でもスライドショーに時間がかかってしまって申し訳ありませんでした。私のノートパソコンにどうも不具合があったようです。

M: スライドショーはよかったですよ。全体的に見て万事順調でした。なので、あなたを今月末にまた当社にお招きして新入社員の研修をしていただきたいと思っています。

W: お引き受けしたいところですが、私は5月30日まで出張に出ているのです。来月に設定していただけませんか。

M: もちろんです。6月2日はいかがですか。

W: 了解です、私のカレンダーに印を付けておきます。

「音を使ったトレーニング (9〜10ページ [7])」で本物の実力を養成しましょう! やるかやらないか、ここが分かれ目です。

Unit 18

A

Listen to Track 18 and answer the following questions.

52. Where does the woman say she wants to go?

   (A) To a stadium
   (B) To a train station
   (C) To a post office
   (D) To a taxi stand

53. What does the man recommend to the woman?

   (A) Seeing a game
   (B) Boarding a bus
   (C) Taking a subway
   (D) Turning right

54. What will the woman most likely do next?

   (A) Park her car
   (B) Exit a station
   (C) Cross a street
   (D) Enter a building

B

Listen again and fill in the blanks.

Questions 52 through 54 refer to the following conversation.

W: Excuse me. I'd like to go to Turner Stadium. Do you know how to get there?

M: Yes. Are you going to (①   )?

W: I was planning to walk.

M: Well, it's quite far. So I (②   ) you either take a taxi or the train. In fact, the fastest way to get there would be to (③   ) the street here and walk two blocks to Alton Avenue.

W: Okay…

M: Then turn left and you'll see the subway station next to a post office. Take the green line (④   ) Lakeshore Drive. Get off at the Turner Stadium station and then (⑤   ) the signs.

W: I see. Do you know how many stops it is from the Alton Avenue station?

M: Only three.

W: Thanks for your help! I'll (⑥   ) that way now.

スクリプトの語注

- **get there** そこに行く
- **either ~ or ...** ~または…
- **in fact** 実際
- **next to ~** ~の隣
- **get off at ~** ~で降りる
- **stop** 名 駅
  動 stop 止まる

B 重要語穴埋め 解答

1. **drive** 動 車を運転する
2. **suggest** 動 勧める
   名 suggestion 提案
3. **cross** 動 渡る
   名 cross 十字架
   名 crossing 交差点
4. **toward** 前 ~の方向に
5. **follow** 動 ~に従って進む
   形 following 次の
6. **head** 動 向かって進む
   名 head 頭、長、先頭

A 解答・解説

52.

Where does the woman say she wants to go?

女性はどこに行きたいと言っていますか。

- (A) To a stadium
  スタジアムへ
- (B) To a train station
  鉄道の駅へ
- (C) To a post office
  郵便局へ
- (D) To a taxi stand
  タクシー乗り場へ

正解 (A)

女性は冒頭、I'd like to go to Turner Stadium. と言っている。よって、(A) が正解。

語注
- **stand** 名 乗り場

53.

What does the man recommend to the woman?

男性は、女性に何を勧めていますか。

- (A) Seeing a game
  試合を見ること
- (B) Boarding a bus
  バスに乗ること
- (C) Taking a subway
  地下鉄に乗ること
- (D) Turning right
  右折すること

Part 3—Unit 18

正解 (C)

男性は I suggest you either take a taxi or the train. と言った後、一番早い行き方は2ブロック先の駅から地下鉄に乗ることであると伝えている。よって、地下鉄に乗ることを勧めていると言える。

語注

□ **recommend** 動 勧める　　□ **board** 動 乗る

54.

What will the woman most likely do next?

女性は次におそらく何をしますか。

- (A) Park her car
  車を駐車する
- (B) Exit a station
  駅を出る
- (C) Cross a street
  道路を渡る
- (D) Enter a building
  建物に入る

正解 (C)

男性は最初に In fact, the fastest way to get there would be to cross the street here and walk two blocks to Alton Avenue. と言って、道順説明を始めている。男性の説明を聞き終わった後、女性は I'll head that way now. と言っている。この head that way は cross the street here and walk two blocks to Alton Avenue にあたるので、(C) が正解。

A 解答・解説

語注

- □ **park** 動 駐車する
- □ **exit** 動 出る
- □ **cross** 動 渡る
- □ **enter** 動 入る

スクリプト訳

問題 52〜54 は次の会話に関するものです。

W: すみません。Turner Stadium に行きたいんです。どう行けばいいかわかりますか。

M: はい。車を運転して行くのですか。

W: 歩こうと思っていました。

M: かなり遠いですよ。ですから、タクシーか電車に乗ることをお勧めします。実際、一番早く行くには、ここで道路を渡って、Alton Avenue まで 2 ブロック歩いていってください。

W: はい…。

M: そして左に曲がると、郵便局の隣に地下鉄の駅があります。グリーン線で Lakeshore Drive 行きに乗ってください。Turner Stadium 駅で降りて、それから標識に沿って進んでください。

W: わかりました。Alton Avenue 駅から何駅かわかりますか。

M: たった 3 駅ですよ。

W: ありがとうございます! すぐにそちらに向かってみます。

「音を使ったトレーニング(9〜10ページ 7)」で本物の実力を養成しましょう! やるかやらないか、ここが分かれ目です。

Unit 19

A

Listen to Track 19 and answer the following questions.

55. Where does the woman probably work?

    (A) At a hotel
    (B) At a newsstand
    (C) At a shipping company
    (D) At a record store

56. What does the woman say about the brochures?

    (A) They are being handed out.
    (B) They have been lost in transit.
    (C) They were damaged before delivery.
    (D) They will reach their destination today.

57. What is the man advised to do in the future?

    (A) File a complaint
    (B) Write down a number
    (C) Confirm an address
    (D) Use an online service

B

Listen again and fill in the blanks.

Questions 55 through 57 refer to the following conversation.

M: Hi, I'm calling to (①   ) on a box of brochures I sent to a hotel on April 12. I've been (②   ) that it hasn't arrived yet. Could you tell me where it is?

W: I'll try, sir. Were you given a tracking number when you sent the parcel?

M: Yes, it's 209344. And the hotel address is 234 Rochester Street in Buffalo.

W: Thank you… According to our records, it was (③   ) to Buffalo on April 13 and the (④   ) will receive it this afternoon.

M: That's good news.

W: I'm happy to help. But if you'd like to know the (⑤   ) of a parcel in the future, you could go to our Web site and (⑥   ) the tracking number.

M: Okay, I'll do that.

スクリプトの語注

- **brochure** 名 パンフレット
- **arrive** 動 届く
  - 名 **arrival** 到着
- **tracking number** 追跡番号
  - 動 **track** 跡をたどる
- **parcel** 名 小包　同 package
- **record** 名 記録
  - 動 **record** 記録する
- **in the future** この先、将来は

B 重要語穴埋め 解答

1. **check** 動 確認する
2. **informed** 原形は inform 動 知らせる
   - 名 **information** 情報
   - 形 **informative** 役に立つ
3. **shipped** 原形は ship 動 発送する
   - 名 **shipment** 発送品、積荷
4. **recipient** 名 受取人
   - 動 **receive** 受け取る
   - 名 **receipt** 領収書、受領
5. **whereabouts** 名 所在
   - 副 **whereabouts** どの辺りに
6. **enter** 動 入力する
   - 名 **entrance** 入り口
   - 名 **entry** 参加、登録

55.

Where does the woman probably work?

女性はおそらくどこで働いていますか。

(A) At a hotel
ホテル
(B) At a newsstand
売店
(C) At a shipping company
運送会社
(D) At a record store
レコード店

正解 (C)

発送物の問い合わせを受けて、女性は、Were you given a tracking number when you sent the parcel? と言っている。そして、記録を調べ、配送状況の説明をしている。よって、運送会社で働いていることが予想できる。

語注

- **probably** 副 おそらく
- **newsstand** 名 (駅や路上で新聞や雑誌を売る)売店
- **shipping** 名 輸送

56.

What does the woman say about the brochures?

女性は、パンフレットについて何と言っていますか。

(A) They are being handed out.
配布されているところである。

(B) They have been lost in transit.
輸送中になくなった。

(C) They were damaged before delivery.
配達の前に損傷を受けた。

(D) They will reach their destination today.
今日、宛先に届く。

正解 (D)

送ったパンフレットに関する問い合わせに対して、女性は、According to our records, it was shipped to Buffalo on April 13 and the recipient will receive it this afternoon. と答えている。よって、(D) が正解。

語注

- **hand out** 配る
- **transit** 名 輸送
- **damage** 動 損傷を与える
- **delivery** 名 配達
- **reach** 動 届く
- **destination** 名 目的地

57.

What is the man advised to do in the future?
男性は、今後何をするよう勧められていますか。

(A) File a complaint
苦情を申し立てる

(B) Write down a number
数字を書きとめる

(C) Confirm an address
住所を確認する

(D) Use an online service
オンラインサービスを利用する

A 解答・解説

正解 (D)

女性は男性に対して、if you'd like to know the whereabouts of a parcel in the future, you could go to our Web site and enter the tracking number. というアドバイスをしている。これは (D) のように言い換えることができる。

語注

- **advise** 動 勧める
- **file** 動 申し立てる
- **confirm** 動 確認する

スクリプト訳

問題 55 ～ 57 は次の会話に関するものです。

M: もしもし、4月12日にホテルに送ったパンフレット1箱の確認のためにお電話しています。それがまだ届いていないと言われたのです。今どこにあるのかわかりますか。

W: 調べてみます。小包を送ったとき、追跡番号はもらいましたか。

M: ええ、209344です。そしてホテルの住所は、Buffalo の 234 Rochester Street です。

W: ありがとうございます…こちらの記録によりますと、小包は4月13日に Buffalo へ発送されていて、本日の午後に受取人さまが受理することになっています。

M: それはよかった。

W: お役に立てて何よりです。ですがもしこの先また小包の所在をご確認なさりたい場合は、当社のウェブサイトにアクセスして追跡番号を入力することもできます。

M: わかりました、そうします。

「音を使ったトレーニング (9～10ページ **7**)」で本物の実力を養成しましょう！やるかやらないか、ここが分かれ目です。

Unit 20

Listen to Track 20 and answer the following questions.

58. Where does the man probably work?

 (A) At a post office
 (B) At a restaurant
 (C) At a gallery
 (D) At a studio

59. Why does the woman say she is concerned?

 (A) Some information is incorrect.
 (B) Some entries are not on time.
 (C) Some envelopes are missing.
 (D) Some results were not sent.

60. What will the man ask Ms. Stiller to do?

 (A) Phone Ms. Harding
 (B) Update a document
 (C) Check some results
 (D) Replace a form

B

Listen again and fill in the blanks.

Questions 58 through 60 refer to the following conversation.

W: Hello, this is Sheila Harding. I'm calling about the photography (①   ) your gallery is hosting. I no longer live at the address I put on my contest (②   ) form.

M: I see. Did you fill it out here at the gallery or online?

W: I did it there and then put the form in a brown envelope with my pictures. I'm worried that I won't receive the contest (③   ) unless the address is changed.

M: Well, it's good that you (④   ) us, Ms. Harding. Winning contestants will be informed by postal mail. Ms. Stiller, who's in (⑤   ) of the contest, isn't here at the moment. So please give me your (⑥   ) address and I'll ask her to revise your entry form later.

スクリプトの語注

- **I'm calling about ～** 私は～の件で電話をしている
- **host** 動 主催する
  名 **host** 主催者、司会者
- **no longer** もはや～でない
- **fill out** （用紙に）記入する 同 complete
- **unless** ～しない限り
- **revise** 動 修正する
  名 **revision** 修正

B 重要語穴埋め 解答

1. **competition** 名 コンテスト
   動 **compete** 競争する
   名 **competitor** 競争相手
   形 **competitive** 競争力のある、競争心の強い、競争の激しい

2. **entry** 名 登録
   動 **enter** 入る、参加する

3. **results** （名 result の複数形）結果
   動 **result** （結果として）～になる

4. **contacted** 原形は contact 動 連絡する

5. **charge** 名 責任
   in charge of ～ ～を担当している

6. **current** 形 現在の
   副 **currently** 現在

解答・解説

58.

Where does the man probably work?

男性は、おそらくどこで働いていますか。

(A) At a post office
郵便局
(B) At a restaurant
レストラン
(C) At a gallery
ギャラリー
(D) At a studio
スタジオ

正解 (C)

女性は冒頭、I'm calling about the photography competition your gallery is hosting. と言っている。また、男性は Did you fill it out here at the gallery or online? と尋ねている。ここから、彼が gallery で働いていることがわかる。

語注

□ **post office** 郵便局 □ **studio** 名 スタジオ

59.

Why does the woman say she is concerned?

女性はなぜ心配していると言っていますか。

(A) Some information is incorrect.
情報が正しくない。
(B) Some entries are not on time.
参加作品が間に合わない。

(C) Some envelopes are missing.
封筒がなくなっている。

(D) Some results were not sent.
結果が送られなかった。

正解 (A)

女性は I'm worried that I won't receive the contest results unless the address is changed. と言っている。古い住所のままでは結果が届かないのではということを心配しているので、(A) のように言い換えることができる。

語注

- **concerned** 形 心配している
- **incorrect** 形 正しくない
- **entry** 名 参加作品   **on time** 間に合う
- **missing** 形 紛失した

60.

What will the man ask Ms. Stiller to do?
男性は、Stiller さんに何をするよう頼みますか。

(A) Phone Ms. Harding
Harding さんに電話をかける
(B) Update a document
書類を更新する
(C) Check some results
結果を確認する
(D) Replace a form
用紙を取り替える

解答・解説

正解 (B)

男性は Ms. Stiller がコンテストの担当であることを告げて、I'll ask her to revise your entry form later. と言っている。ここから、彼女に登録用紙の修正を頼むことがわかるので、revise を update に言い換えた (B) が正解。

語注

- **phone** 動 電話をかける
- **update** 動 更新する
- **document** 名 文書
- **replace** 動 交換する

スクリプト訳

問題58～60は次の会話に関するものです。

W: もしもし、こちらは Sheila Harding です。そちらのギャラリーが主催している写真コンテストの件でお電話しています。私は、コンテストの登録用紙に記入した住所にはもう住んでいないんです。

M: わかりました。用紙はここのギャラリーで記入なさいましたか、それともオンラインですか。

W: そちらのギャラリーで記入して、それから用紙を私の絵と一緒に茶色の封筒に入れました。住所を変更しないと、コンテスト結果を受け取れないかと心配なんです。

M: ご連絡いただいてよかったです、Harding さん。コンテストの受賞者は郵送で通知されるのです。コンテスト担当者の Stiller さんは、今はここにおりませんので、あなたの現在のご住所を教えてくだされば、私が後ほど彼女にあなたの登録用紙を訂正するよう頼んでおきます。

「音を使ったトレーニング (9～10ページ 7)」で本物の実力を養成しましょう！ やるかやらないか、ここが分かれ目です。

第2部

Short Talks

TOEIC Part 4

トークを使った実力養成

Part 4のトークのパターン

TOEICを作成しているETSが作った『TOEICテスト公式プラクティスリスニング編』(国際ビジネスコミュニケーション)では、Part 4のトークを3つのカテゴリーに分類しています。

1. Telephone Messages (電話メッセージ)

内容的にさまざまな種類のものがあります。例えば「いい物件がありますが、興味ありますか」という不動産業者からのメッセージ、予約時間の確認または変更のためのクリニックからのメッセージ、「注文の品が届きました。取りに来てください」という店からのメッセージなどがあります。

2. Announcements (アナウンス)

一番多いのは空港での場内アナウンスです。発着の遅れを伝えるものやゲートの変更を伝えるものが定番です。他には飛行機の機内放送、駅での構内放送や列車の車内放送、スーパーでの店内放送などが使われます。

3. Advertisements & Talks (宣伝とトーク)

Advertisements(宣伝)とTalks(トーク)が便宜上、まとめられていますが、この2つは性質が違います。Advertisements(宣伝)はラジオ広告で、宣伝の対象は商品、サービス、ワークショップ、イベントなどがあります。珍しいところでは求人広告が使われたこともあります。Talks(トーク)の例としては、ミーティングの冒頭のスピーチ、講演者を紹介するスピーチ、受賞のあいさつ、退職のあいさつ、新入社員への指導、美術館や観光名所のガイドの話などがあります。

その他、上のカテゴリーにはありませんが、ラジオニュース、交通情報、天気予報、番組案内など報道系の内容のものも出題されます。

音声ファイルには、[**Part4_Track1A**] と [**Part4_Track1B**] の2つのパターンがあります。B [**Part4_Track1B**] のファイルには選択肢の音声も入っていますが、試験本番では選択肢の音声は流れません。

Ⓐ 選択肢の読み上げなし (本番と同じ形式)
Ⓑ 選択肢の読み上げあり (選択肢も音で聞きたい方用)

Unit 21

A

Listen to Track 21 and answer the following questions.

1. Who is the intended audience for this announcement?

    (A) Construction workers
    (B) Station employees
    (C) Train passengers
    (D) Museum visitors

2. According to the announcement, what could happen on March 28?

    (A) A station could be inspected.
    (B) A schedule could be altered.
    (C) A project could be interrupted.
    (D) Parking could be restricted.

3. Who does the speaker say should speak to a staff member?

    (A) People traveling between Plymouth and Bristol on certain days
    (B) People transferring to a different line at Plymouth
    (C) People looking for directions to a renowned bridge
    (D) People wishing to purchase a first class ticket

B

Listen again and fill in the blanks.

Questions 1 through 3 refer to the following announcement.

Welcome (①_____) the Dartmoor Express to Plymouth. We'll be (②_____) in Plymouth just before 10 o'clock. For those of you who are planning to make a return trip on the Dartmoor Express in the near future, please be (③_____) that South West Railways has (④_____) a notice about disruptions to services on Thursday, March 24. Due to a major (⑤_____) project taking place in the area of Weston Bridge, timetable changes will affect all north and south bound trains between Plymouth and Bristol. Our March 28 and 29 timetables may also change. So please check with a station (⑥_____) to find out whether your travels could be affected. Thank you and enjoy the rest of your trip.

✖ スクリプトの語注

- **return trip** 帰路
- **notice** 名 通知
  - 動 **notice** 気が付く
- **disruption** 名 混乱
  - 動 **disrupt** 混乱させる、邪魔をする
- **due to** 〜のため
- **take place** 行われる
- **affect** 動 影響を与える
  - 名 **effect** 効果
- **the rest of 〜** 〜の残り

B 重要語穴埋め 解答

1. **aboard** 副 乗車して
2. **arriving** 原形は arrive 動 到着する
   - 名 **arrival** 到着
3. **aware** 形 気が付いている
   - 名 **awareness** 意識、認識
4. **issued** 原形は issue 動 出す
   - 名 **issue** 論点、問題、事柄、(雑誌の)号
5. **construction** 名 建設
   - 動 **construct** 建設する
   - 形 **constructive** 建設的な
6. **attendant** 名 乗務員
   - 動 **attend** 出席する、世話をする

A 解答・解説

1.

Who is the intended audience for this announcement?

このお知らせの対象となる聞き手は誰ですか。

(A) Construction workers
　建設労働者
(B) Station employees
　駅員
(C) Train passengers
　電車の乗客
(D) Museum visitors
　博物館の来訪者

正解 (C)

冒頭、Welcome aboard the Dartmoor Express to Plymouth. We'll be arriving in Plymouth just before 10 o'clock. と言っているので、このアナウンスが電車の乗客に向けられたものであることがわかる。

語注

- □ **intended** 形 意図された　□ **audience** 名 聞き手
- □ **announcement** 名 お知らせ
- □ **construction** 名 建設　□ **employee** 名 従業員
- □ **museum** 名 博物館　□ **visitor** 名 来訪者

2.

According to the announcement, what could happen on March 28?

お知らせによると、3月28日に何が起こる可能性がありますか。

138　Part 4—Unit 21

(A) A station could be inspected.
   駅が視察されるかもしれない。
(B) A schedule could be altered.
   運行予定表が変更されるかもしれない。
(C) A project could be interrupted.
   プロジェクトが中断されるかもしれない。
(D) Parking could be restricted.
   駐車が制限されるかもしれない。

正解 (B)

March 28に関しては後半、Our March 28 and 29 timetables may also change. と言っている。ここから時刻表が変更される可能性があることがわかる。よって、(B) が正解。timetables が schedule に、may change が could be altered に言い換えられている。

語注

□ **inspect** 動 視察する   □ **alter** 動 変更する

3.

Who does the speaker say should speak to a staff member?

話し手は、誰が職員と話すべきだと言っていますか。

(A) People traveling between Plymouth and Bristol on certain days
   特定の日に Plymouth と Bristol の間で移動する人々
(B) People transferring to a different line at Plymouth
   Plymouth で別の線に乗り換える人々

解答・解説

(C) People looking for directions to a renowned bridge
有名な橋への行き方を知りたがっている人々

(D) People wishing to purchase a first class ticket
ファーストクラスのチケットを購入したい人々

正解 (A)

3月28日と29日にPlymouthとBristolの間で電車の時刻表が変更になる可能性があることを述べた後、So please check with a station attendant to find out whether your travels could be affected. と言っている。よって、(A)が正解。

語注

- **certain** 形 特定の
- **direction** 名 道順
- **wish** 動 望む
- **transfer** 動 乗り換える
- **renowned** 形 有名な
- **purchase** 動 購入する

スクリプト訳

問題1〜3は次のお知らせに関するものです。

Plymouth行きDartmoor Expressにご乗車ありがとうございます。この列車は、10時少し前にPlymouthに到着します。近々Dartmoor Expressで復路をご利用予定のお客さまは、3月24日の木曜日にダイヤに乱れが生じるという通知をSouth West Railwaysが出しているのでご注意ください。Weston Bridge地区での大規模な建設プロジェクトのために、PlymouthとBristolの間の南北に向かうすべての路線で、時刻表に影響が出ると思われます。私どもの3月28日と29日の時刻表も変更のおそれがありますので、ご自身の移動の際に影響がないか駅員にお確かめください。それでは引き続きご旅行をお楽しみください。

「音を使ったトレーニング（9〜10ページ **7**）」で本物の実力を養成しましょう！ やるかやらないか、ここが分かれ目です。

Unit 22

Ⓐ

Listen to Track 22 and answer the following questions.

4. What does the speaker provide?

    (A) Reasons for an office closure
    (B) An explanation for his absence
    (C) A description of a product
    (D) Directions to his office

5. When will the caller and listener probably meet?

    (A) Today
    (B) Tomorrow
    (C) In three days
    (D) Next week

6. What is the listener reminded to do?

    (A) Bring a parking ticket
    (B) Park on the street
    (C) Get off on the fifth floor
    (D) Wait at a subway station

B

Listen again and fill in the blanks.

Questions 4 through 6 refer to the following telephone message.

Hello Ms. Wong. This is Spencer Taggart calling from SJA Consulting Services. I received your message and will be (①   ) you tomorrow. Our office is (②   ) in a building in North Appleton. It's the same place where Gould & Fritch Investment has an office on the (③   ) floor. The building is at 183 Davis Boulevard. We're right across the street from the subway station and Richton car (④   ). Our office is on the ninth floor. If you're driving here, use the parking lot (⑤   ) the building. Oh, and please don't forget to bring your parking ticket. When you show it to us, we'll (⑥   ) the parking fees. See you tomorrow morning. Good bye.

❌ スクリプトの語注

- **receive** 動 受け取る
  - 名 **receipt** 領収書、受領
  - 名 **recipient** 受取人
- **the same place where** ～ ～と同じ場所
- **across** 前 向こう側に
- **parking lot** 駐車場
- **bring** 動 持ってくる
- **fee** 名 料金

B 重要語穴埋め 解答

1. **expecting** 原形は expect 動 待つ
2. **located** 形 位置する
3. **first** 形 初めの
   the first floor 1階（イギリス英語では「1階」は the ground floor）
4. **dealership** 名 販売代理店
5. **behind** 前 後ろに
6. **reimburse** 動 払い戻す
   名 **reimbursement** 払い戻し

4.

What does the speaker provide?

話し手は何を提供していますか。

(A) Reasons for an office closure
オフィス閉鎖の理由
(B) An explanation for his absence
欠勤の説明
(C) A description of a product
商品の説明
(D) Directions to his office
オフィスまでの道順

正解 (D)

話し手はオフィスがどこにあるのか説明しているので、(D) が正解。

語注

- □ **provide** 動 提供する
- □ **reason** 名 理由
- □ **closure** 名 閉鎖
- □ **explanation** 名 説明
- □ **absence** 名 欠勤
- □ **description** 名 説明
- □ **direction** 名 道順

5.

When will the caller and listener probably meet?

電話をかけている人と聞き手は、いつ会うと思われますか。

(A) Today
今日
(B) Tomorrow
明日

(C) In three days
3日後

(D) Next week
来週

正解 (B)

話し手は前半で、I received your message and will be expecting you tomorrow. と言っている。また後半でも、See you tomorrow morning. と言っている。よって、彼らは明日会うことが予想できる。

語注

□ **caller** 名 電話をかけている人

6.

What is the listener reminded to do?
聞き手は、何をするよう念を押されていますか。

(A) Bring a parking ticket
駐車券を持ってくる

(B) Park on the street
路上に駐車する

(C) Get off on the fifth floor
5階で降りる

(D) Wait at a subway station
地下鉄の駅で待つ

正解 (A)

質問の remind は「思い出させる、気付かせる」という意味。聞き手が remind されている内容は、後半の please don't forget to bring your parking ticket. が該当する。 よって、正解は (A)。

語注

□ **remind** 動 思い起こさせる

スクリプト訳

問題4〜6は次の電話のメッセージに関するものです。

もしもし、Wong さん。SJA Consulting Services の Spencer Taggart です。あなたからのご伝言をお受けいたしました。明日お待ちしております。当オフィスは North Appleton のビルにございます。1階に Gould & Fritch Investment のオフィスが入っているビルと同じところです。ビルは183 Davis Boulevard で、地下鉄の駅と Richton 自動車販売店の通りをへだてた向かい側です。当オフィスは9階になります。お車を運転してこられるなら、ビルの裏の駐車場をお使いください。ああ、それから、忘れずに駐車券を持ってきてください。それを見せていただければ、駐車料金をお返しします。では明朝お会いしましょう。失礼いたします。

「音を使ったトレーニング (9〜10ページ [7])」で本物の実力を養成しましょう！ やるかやらないか、ここが分かれ目です。

Unit 23

Listen to Track 23 and answer the following questions.

7. What will happen tomorrow?

(A) Artwork will be stored.
(B) Boxes will be removed.
(C) Some equipment will be set up.
(D) Computers will be replaced.

8. What are the listeners told to do?

(A) Put away some items
(B) Cover some computers
(C) Reschedule some plans
(D) Check some equipment

9. When will the planned work be completed?

(A) By tomorrow
(B) On Friday
(C) Over the weekend
(D) By the end of next week

B

Listen again and fill in the blanks.

Questions 7 through 9 refer to the following talk.

I've been asked to let all of you know our offices will be painted over the weekend. Because the crew handling the job will be setting up their (①   ) here tomorrow evening, make sure to (②   ) off your desks before they arrive. If you don't have (③   ) space in your drawers, use the cardboard boxes next to the filing cabinets to temporarily (④   ) your belongings. The painters will need to move some desks around on Saturday, so I advise you to (⑤   ) your computers before you leave tomorrow. Their work will be finished before Monday, so your normal work schedules won't be (⑥   ) next week. However, I suggest that you not plan to work late tomorrow. Are there any questions?

❎ スクリプトの語注

- **I've been asked to ～**　私は～するように頼まれている
- **handle**　動 担当する
- **make sure to ～**　必ず～する
- **temporarily**　副 一時的に
  形 **temporary**　一時的な
- **belongings**　名 (-sが付いた形で) 所持品
- **advise**　動 勧める
  名 **advice**　助言、アドバイス

B 重要語穴埋め 解答

1. **equipment**　名 機器、用具
   動 **equip**　装備する、身に付けさせる
2. **clear**　動 片付ける
   形 **clear**　きれいな、はっきりした
3. **enough**　形 十分な
4. **store**　動 保管する
   名 **storage**　倉庫
5. **unplug**　動 コンセントを抜く
   反 **plug**　コンセントを差し込む
6. **interrupted**　原形は interrupt 動 妨げる
   名 **interruption**　妨げ、邪魔、中断

A 解答・解説

7.

What will happen tomorrow?

明日、何がありますか。

- (A) Artwork will be stored.
  美術品が保管される。
- (B) Boxes will be removed.
  箱が持ち去られる。
- (C) Some equipment will be set up.
  用具が設置される。
- (D) Computers will be replaced.
  コンピューターが交換される。

正解 (C)

冒頭、the crew handling the job will be setting up their equipment here tomorrow evening と言っている。これに対応するのは (C)。

語注

- □ **happen** 動 起こる
- □ **store** 動 保管する
- □ **remove** 動 持ち去る
- □ **set up** 設置する
- □ **replace** 動 交換する

8.

What are the listeners told to do?

聞き手は何をするよう言われていますか。

- (A) Put away some items
  いくつかの品物を片付ける
- (B) Cover some computers
  コンピューターにカバーをかける

(C) Reschedule some plans
計画の予定を変更する
(D) Check some equipment
機器をチェックする

正解 (A)

聞き手がするように指示されている内容は make sure to clear off your desks before they arrive. が該当する。clear off your desks を Put away some items に言い換えた (A) が正解。

語注

□ **put away** 片付ける　　□ **item** 名 品物
□ **reschedule** 動 予定を変更する
□ **equipment** 名 機器

9.

When will the planned work be completed?
計画されている仕事はいつ完了しますか。

(A) By tomorrow
明日までに
(B) On Friday
金曜に
(C) Over the weekend
週末の間に
(D) By the end of next week
来週末までに

解答・解説

正解 (C)

Their work will be finished before Monday と言っているので、月曜日までに終わることがわかる。これは週末の間に作業が完了することを意味するので、(C) が正解。

語注

□ **complete** 動 完了させる

スクリプト訳

問題7〜9は次の話に関するものです。

私は、週末にオフィスが塗装されることを、皆さんにお知らせするように言われています。明日の夜、作業を担当する一団がここに用具を設置しますので、彼らが到着する前に、忘れずに机の上のものをしまってください。引き出しに十分なスペースがない場合は、整理戸棚近くにダンボール箱がありますので、一時的に持ち物を入れておくのに使ってください。ペンキ職人たちは土曜日に机をいくつか移動させる必要がありますので、明日の退社前にコンピューターのプラグを抜いておくことをお勧めします。作業は月曜日までには終わりますので、来週は通常の業務スケジュールが妨げられることはありません。しかし、明日は残業をしないことをお勧めします。何かご質問はありますか。

「音を使ったトレーニング（9〜10ページ [7]）」で本物の実力を養成しましょう！ やるかやらないか、ここが分かれ目です。

Unit 24

A

Listen to Track 24 and answer the following questions.

10. What is the report about?

    (A) Traffic conditions
    (B) Forecasted weather
    (C) A local event
    (D) Marine sports

11. What does the speaker recommend that drivers do?

    (A) Avoid going to a coastal area
    (B) Stay home during the storm
    (C) Be cautious on wet roads
    (D) Park their cars in a garage

12. What will happen tomorrow?

    (A) Heavy rain will continue.
    (B) Train services will resume.
    (C) Jacksonville will be warmer.
    (D) Inclement weather will return.

B

Listen again and fill in the blanks.

Questions 10 through 12 refer to the following report.

This is Bruce Henderson with your two o'clock weather update. The national weather center has reported that a storm is moving toward the coast that will bring heavy rain and strong winds to Jacksonville tonight. The storm is expected to (1_____) our area by 8:00 P.M., and we (2_____) commuters on the highways tonight to watch out for slippery conditions as they (3_____) home. Local authorities have (4_____) boaters to remain in port, as severe winds and high waves are expected off the coast. Calm weather and warmer temperatures are (5_____) to return to the area by early tomorrow morning. (6_____) tuned for more weather updates every hour. Now, let's hear Bessie Carson's latest hit song, "Tennessee Train."

スクリプトの語注

- **be expected to ～**　～する見込みである
- **commuter**　名 通勤者
  - 動 **commute**　通勤する、通学する
  - 名 **commute**　通勤、通学
- **watch out**　注意する
- **slippery**　形 すべりやすい
  - 動 **slip**　すべる　名 **slip**　すべること、誤り
- **authorities**　名（複数形で）当局
- **remain**　動 とどまる
- **severe**　形 激しい
  - 副 **severely**　激しく、厳しく
  - 名 **severity**　厳しさ

B 重要語穴埋め 解答

1. **reach**　動 到達する　名 **reach**　届く範囲
2. **urge**　動 強く促す　形 **urgent**　緊急の
   - 副 **urgently**　緊急に　名 **urgency**　緊急性
3. **head**　動 向かって進む
   - 名 **head**　頭、長、先頭
4. **warned**　原形は warn　動 警告する
   - 名 **warning**　警告
5. **forecasted**　原形は forecast　動 予想する
   - 名 **forecast**　予想、予報
6. **Stay**　動 とどまる

A 解答・解説

10.

What is the report about?

何についての報道ですか。

- (A) Traffic conditions
  交通状況
- (B) Forecasted weather
  天気予報
- (C) A local event
  地元のイベント
- (D) Marine sports
  マリンスポーツ

正解 (B)

This is Bruce Henderson with your two o'clock weather update. で始まり、気象状況を伝えているので、(B) が正解。

語注

□ **report** 名 報道　□ **condition** 名 状況
□ **forecast** 動 予想する

11.

What does the speaker recommend that drivers do?

話し手は、車利用者にどうするよう勧めていますか。

- (A) Avoid going to a coastal area
  沿岸地域に行くことを避ける
- (B) Stay home during the storm
  暴風の間は外出しない
- (C) Be cautious on wet roads
  濡れた路面上で注意する

156　Part 4—Unit 24

(D) Park their cars in a garage
車を車庫内に駐車する

正解 (C)

質問の drivers はトーク中の commuters on the highways に対応している。中ほどで we urge commuters on the highways tonight to watch out for slippery conditions as they head home. と言っているので、watch out for slippery conditions を言い換えた (C) が正解。

語注

□ **recommend** 動 勧める　□ **avoid** 動 避ける
□ **coastal** 形 沿岸の　□ **cautious** 形 注意深い

12.

What will happen tomorrow?
明日は何がありますか。

(A) Heavy rain will continue.
豪雨が続く。
(B) Train services will resume.
電車の運行が再開する。
(C) Jacksonville will be warmer.
Jacksonville はより暖かくなる。
(D) Inclement weather will return.
悪天候が戻ってくる。

正解 (C)

後半で Calm weather and warmer temperatures are forecasted to return to the area by early tomorrow morning.

と言っている。ここからこの地域は明日、暖かくなることが予想できるので、(C) が正解。

語注

- **heavy** 形 激しい
- **continue** 動 続く
- **resume** 動 再開する
- **inclement** 形 (天候が) 悪い
- **return** 動 戻る

スクリプト訳

問題10〜12は次の報道に関するものです。

Bruce Henderson が、2時の最新気象情報をお伝えします。国立気象センターは、暴風雨が沿岸に向かって移動しており、今夜 Jacksonville に豪雨と強風をもたらすと発表しています。暴風雨は午後8時までにこの地域に達する見込みですので、今夜幹線道路を使って帰宅する方は、路面がすべるので家に向かう際ご注意ください。沖合では強風と高波が予想されるため、地元の自治体は、船舶所有者に港にとどまるよう警告を出しています。明日の早朝までにはこの地域の天気は穏やかになり、気温も上がる見込みです。最新の気象情報は1時間ごとにお伝えしますので、チャンネルはそのまま。それでは、Bessie Carson の最新のヒット曲『Tennessee Train』をお聴きください。

「音を使ったトレーニング (9〜10ページ 7)」で本物の実力を養成しましょう! やるかやらないか、ここが分かれ目です。

Unit 25

A

Listen to Track 25 and answer the following questions.

13. Why is the speaker calling?

    (A) To schedule a job interview
    (B) To place an advertisement
    (C) To request a refund
    (D) To inquire about a delivery date

14. What does the speaker ask the listener to do?

    (A) Provide some samples
    (B) Interview a candidate
    (C) Consider a transfer
    (D) Return to an office

15. What does the speaker say about Mr. Stevens?

    (A) He has interviewed some other candidates.
    (B) He will be returning on Thursday.
    (C) He is in charge of an overseas branch.
    (D) He can be reached by telephone.

B

Listen again and fill in the blanks.

Questions 13 through 15 refer to the following telephone message.

Hello, this is Greg Fulton from Bluestone Billboards calling for Debbie Miller. Debbie, thank you for coming to our office yesterday to (①_____) the creative director position. We were (②_____) by your résumé and experience. We'd like you to (③_____) for a second interview and to meet Mr. Stevens, who (④_____) our design department. He's (⑤_____) out of town but will be back Thursday afternoon. Is it (⑥_____) for you to see us again this Friday? Since we'd like to fill the position before April, we hope to finish our interview process this week. Please call me so that I can arrange a time for you to speak with Mr. Stevens. I look forward to hearing from you.

スクリプトの語注

- creative 形 創造的な
  - 動 create 作り出す　名 creation 創造
- director 名 部長
  - 動 direct 指示する、運営する　形 direct 直接の
  - 名 direction 指示、監督、道順、方向
- position 名 職
- résumé 名 履歴書
- experience 名 経験
  - 動 experience 経験する
- out of town 町にいない
- fill the position 職を埋める

B 重要語穴埋め 解答

1. discuss 動 話し合う
   - 名 discussion 話し合い、討論
2. impressed 形 感銘を受ける
   - 動 impress 感動させる、印象を与える
   - 名 impression 印象、感じ
3. return 動 戻る
   - 名 return 返却　形 return 復路の
4. oversees 原形は oversee 動 監督する　同 supervise
5. currently 副 現在　形 current 現在の
6. possible 形 可能な
   - 副 possibly もしかすると　名 possibility 可能性

A 解答・解説

13.

Why is the speaker calling?

話し手はなぜ電話をかけていますか。

(A) To schedule a job interview
面接の日程を決めるため
(B) To place an advertisement
広告を出すため
(C) To request a refund
払い戻しを頼むため
(D) To inquire about a delivery date
配達日を尋ねるため

正解 (A)

We'd like you to return for a second interview and to meet Mr. Stevens… Is it possible for you to see us again this Friday… Please call me so that I can arrange a time for you to speak with Mr. Stevens. などから、電話をしている目的は面接の日程を決めることだと言える。

語注

- □ **schedule** 動 予定を決める
- □ **place** 動 (広告を) 出す
- □ **request** 動 頼む
- □ **refund** 動 払い戻し
- □ **inquire** 動 尋ねる
- □ **delivery** 名 配達

14.

What does the speaker ask the listener to do?

話し手は聞き手に何をするよう頼んでいますか。

(A) Provide some samples
    サンプルを提供する
(B) Interview a candidate
    候補者を面接する
(C) Consider a transfer
    異動について検討する
(D) Return to an office
    再度オフィスに来る

正解 (D)

話し手は We'd like you to return for a second interview and to meet Mr. Stevens, と言って、二次面接に来ることを頼んでいる。面接は話し手のオフィスで行われると予想できるので、(D) が正解。

語注
□ **provide** 動 提供する　□ **interview** 動 面接する
□ **candidate** 名 候補者　□ **consider** 動 検討する
□ **transfer** 名 異動　□ **return** 動 戻る

15.

What does the speaker say about Mr. Stevens?
話し手は Stevens さんについて何と言っていますか。

(A) He has interviewed some other candidates.
    彼は他の候補者を何人か面接した。
(B) He will be returning on Thursday.
    彼は木曜日に戻る。
(C) He is in charge of an overseas branch.
    彼は海外支店の責任者である。

(D) He can be reached by telephone.
彼には電話で連絡がつく。

正解 (B)

He's currently out of town but will be back Thursday afternoon. と言っているので、彼が木曜日の午後に戻ることがわかる。よって、(B) が正解。

語注

- **interview** 動 面接する
- **candidate** 名 候補者
- **be in charge of ~** ~の責任者である
- **overseas** 形 海外の
- **reach** 動 連絡する

スクリプト訳

問題13～16は次の電話のメッセージに関するものです。

もしもし、Bluestone Billboards の Greg Fulton です。Debbie Miller さんにお電話いたしました。Debbie、昨日はクリエイティブ部長の職について話し合うためにこちらのオフィスへお越しいただき、ありがとうございました。我々はあなたの履歴書と職歴に感銘を受けました。どうぞ二次面接にいらして、デザイン部の責任者である Stevens さんに会ってください。彼は現在出張中ですが、木曜日の午後に戻ります。今週の金曜日に再度お越しいただけますでしょうか。4月になる前にポストを埋めたいので、面接手続きを今週で終えたいのです。Stevens さんとの面会時間を決めますので、お電話をください。ご連絡をお待ちしております。

「音を使ったトレーニング（9～10ページ [7]）」で本物の実力を養成しましょう！やるかやらないか、ここが分かれ目です。

Unit 26

A

Listen to Track 26 and answer the following questions.

16. What kind of business is Silver Town?

  (A) A television network
  (B) A delivery company
  (C) A video rental store
  (D) A book shop

17. What does Silver Town offer its customers?

  (A) Special discount coupons
  (B) Access to its computers
  (C) Annual membership cards
  (D) Daily recommendations

18. What does the advertisement say about online orders?

  (A) Delivery is free for orders over 20 dollars.
  (B) They are delivered within two hours.
  (C) They are cheaper than in-store rentals.
  (D) A credit card payment is required.

B

Listen again and fill in the blanks.

Questions 16 through 18 refer to the following advertisement.

Are you tired of watching the same shows on TV every day? Then come to Silver Town, the best shop in Nevada for renting videos, DVDs and Blu-ray Discs. We offer the largest (①   ) of titles in town, so our customers keep coming back! With everything from action, crime and fantasy to comedy, romance and documentaries, we (②   ) you will always find something interesting on our shelves. We even have computers set up for you to (③   ) our extensive selection. If you're too busy to come to our shop, visit our Web site and (④   ) the titles you want to rent. For a small fee we'll (⑤   ) them right to your doorstep (⑥   ) two hours of receiving your order.

スクリプトの語注

- **rent** 動 (お金を払って) 借りる
- **offer** 動 提供する
- **keep ～ ing** ～し続ける
- **from A to B** AからBまで
- **set up** 設置する
- **extensive** 形 (品揃えが) 豊富な
  副 **extensively** 広く、大規模に

B 重要語穴埋め 解答

1. **variety** 名 種類
   形 **various** 多様な
   動 **vary** 変化する
2. **guarantee** 動 保証する
   名 **guarantee** 保証、保証書
3. **browse** 動 検索する
4. **order** 動 注文する
   名 **order** 注文
5. **deliver** 動 配達する
   名 **delivery** 配達
6. **within** 前 ～以内

16.

What kind of business is Silver Town?

Silver Town は、どんな種類のビジネスですか。

- (A) A television network
  テレビ放送局
- (B) A delivery company
  運送会社
- (C) A video rental store
  ビデオレンタル店
- (D) A book shop
  書店

正解 (C)

冒頭、come to Silver Town, the best shop in Nevada for renting videos, DVDs and Blu-ray Discs. と言っているので、この店がレンタルビデオ店であることがわかる。

語注

□ **delivery** 名 配達　　□ **rental** 名 賃借

17.

What does Silver Town offer its customers?

Silver Town は、顧客に何を提供していますか。

- (A) Special discount coupons
  特別割引クーポン
- (B) Access to its computers
  コンピューターへのアクセス
- (C) Annual membership cards
  年間会員カード

(D) Daily recommendations
毎日のお薦め

正解 (B)

We even have computers set up for you to browse our extensive selection. と言っているので、レンタル用の作品を検索するためにコンピューターが設置されていることがわかる。よって、(B) が正解。

語注

- **access** 名 利用の機会
- **annual** 形 1 年の
- **daily** 形 日々の
- **recommendation** 名 お薦め

18.

What does the advertisement say about online orders?
この広告は、オンラインの注文について何と言っていますか。

(A) Delivery is free for orders over 20 dollars.
20ドルを超える注文は、配送が無料になる。

(B) They are delivered within two hours.
2時間以内に届けられる。

(C) They are cheaper than in-store rentals.
店頭でのレンタルより料金が安い。

(D) A credit card payment is required.
クレジットカードによる支払いが求められている。

正解 (B)

ウェブサイト上で注文ができることを伝えた後、we'll deliver them right to your doorstep within two hours of receiving your order. と言っている。ここからオンラインの注文が2時間で届けられることがわかる。よって、(B) が正解。

語注

□ **delivery** 名 配達　　□ **deliver** 動 届ける
□ **rental** 名 レンタル、賃借
□ **require** 動 求める

スクリプト訳

問題16～18は次の広告に関するものです。

毎日テレビで同じ番組を見るのにうんざりしていませんか。それなら、ビデオやDVDやブルーレイディスクをレンタルするにはNevadaで最高の店Silver Townへお越しください。街で最大の品揃えを提供しておりますので、我々のお客さまは再度足をお運びになります！アクションや犯罪物やファンタジーから、コメディーや恋愛物やドキュメンタリーまで何でも、当店の棚ではいつでも面白いものが見つかることを保証いたします。当店には多数の品揃えを検索するためのコンピューターさえ備え付けてあります。もしあなたがご来店できないほどお忙しいなら、当店のウェブサイトにアクセスして、レンタルしたい作品を注文してください。わずかな手数料で、受注から2時間以内にご自宅へお届けいたします。

「音を使ったトレーニング（9～10ページ [7]）」で本物の実力を養成しましょう！ やるかやらないか、ここが分かれ目です。

Unit 27

A

Listen to Track 27 and answer the following questions.

19. What is the focus of the training seminar?

    (A) Effective communication
    (B) Business start-ups
    (C) Performance evaluations
    (D) Leadership skills

20. Who is Karen Duran?

    (A) A seminar facilitator
    (B) A financial analyst
    (C) A legal consultant
    (D) A business owner

21. What will probably happen next?

    (A) Instructions will be given.
    (B) Materials will be distributed.
    (C) Results will be explained.
    (D) Payments will be made.

B

Listen again and fill in the blanks.

Questions 19 through 21 refer to the following introduction.

Whether you are an employee, a small business owner or a supervisor, you have a leadership role to play. In tonight's session, you will learn how to (1_____) a workplace that leads to high-quality (2_____) and exceptional results. We will introduce (3_____) leadership techniques and teach you how to (4_____) your leadership style, build a strong team, and motivate people to (5_____) results. The facilitator, Karen Duran, is the author of *Ace Consulting*. She's also an (6_____) group leader who knows how to create an interactive learning environment. So expect to have fun. The fees for this seminar include a seminar booklet, which includes case studies and worksheets that you'll need for the class. I'll pass these out now.

スクリプトの語注

- **role** 名 役割
- **leads to ~** ~につながる
- **exceptional** 形 非常に優れた
  副 **exceptionally** 例外的に 名 **exception** 例外
  前 **except** ~以外
- **introduce** 動 紹介する
  名 **introduction** 紹介、導入
  形 **introductory** 入門的な
- **motivate** 動 意欲を起こさせる
  名 **motivation** やる気、意欲
- **create** 動 つくり出す
  形 **creative** 創造的な 名 **creation** 創造
- **include** 動 含む
  形 **inclusive** 込み 名 **inclusion** 含んでいること

B 重要語穴埋め 解答

1. **establish** 動 設立する
   名 **establishment** 設立、支配層
2. **performance** 名 仕事 動 **perform** 行う、上演する
3. **effective** 形 効果的な 形 **effectively** 効果的に
   名 **effect** 効果 動 **affect** 影響を与える
4. **assess** 動 評価する 名 **assessment** 評価
5. **achieve** 動 達成する 同 **accomplish**
   名 **achievement** 達成、業績
6. **experienced** 形 経験豊富な
   名 **experience** 経験 動 **experience** 経験する

19.

What is the focus of the training seminar?

この研修セミナーの焦点は何ですか。

(A) Effective communication
効果的なコミュニケーション
(B) Business start-ups
事業の立ち上げ
(C) Performance evaluations
勤務評定
(D) Leadership skills
リーダーシップ技術

正解 (D)

研修セミナーの内容を We will introduce effective leadership techniques and teach you how to assess your leadership style, と説明しているので、リーダーシップに関して学ぶことがわかる。よって、(D) が正解。

語注

- **focus** 名 焦点
- **effective** 形 効果的な
- **evaluation** 名 評価

20.

Who is Karen Duran?

Karen Duran は誰ですか。

(A) A seminar facilitator
セミナーの進行役
(B) A financial analyst
金融アナリスト

(C) A legal consultant
法律顧問

(D) A business owner
事業主

正解 (A)

The facilitator, Karen Duran, is the author of *Ace Consulting*. と紹介されているので、彼女がセミナーのfacilitatorであることがわかる。

語注

□ **facilitator** 名 進行役　□ **financial** 形 金融の
□ **analyst** 名 アナリスト　□ **legal** 形 法律の
□ **consultant** 名 コンサルタント
□ **business owner** 事業主

21.

What will probably happen next?
次におそらく何が起こりますか。

(A) Instructions will be given.
指示が与えられる。

(B) Materials will be distributed.
資料が配られる。

(C) Results will be explained.
結果が説明される。

(D) Payments will be made.
支払いが行われる。

解答・解説

正解 (B)

最後に case studies と worksheets を含む seminar booklet がセミナー料に含まれていることが伝えられ、話し手が I'll pass these out now. と言っている。よって、これから教材が配られることがわかる。これらの教材は materials と言い換えることができるので、(B) が正解。

語注

- **instruction** 名 指示
- **distribute** 動 配布する
- **explain** 動 説明する
- **material** 名 資料
- **result** 名 結果
- **payment** 名 支払い

スクリプト訳

問題 19～21 は次の紹介に関するものです。

従業員であれ、小企業の事業主や監督者であれ、指導的な役割を担っているものです。今夜のセッションでは、質の高い仕事と非常に優れた成果につながる職場をつくり上げる方法を学びます。我々は効果的な指導技術をご紹介するとともに、あなたの指導スタイルを評価したり、強いチームをつくったり、人々に成果を出す気を起こさせる方法をご教授いたします。進行役の Karen Duran は、『Ace Consulting』の著者です。彼女は経験豊かな指導者でもあり、いかにして双方向的な学習環境をつくるかを知っています。ですから楽しめることをご期待ください。このセミナーの料金は、講義に必要な事例研究とワークシートがおさめられたセミナー小冊子を含んでいます。それらを今からお配りします。

「音を使ったトレーニング (9～10ページ **7**)」で本物の実力を養成しましょう！ やるかやらないか、ここが分かれ目です。

Unit 28

A

Listen to Track 28 and answer the following questions.

22. Why is the speaker calling?

    (A) To respond to a request
    (B) To confirm an appointment time
    (C) To request contact information
    (D) To describe a popular product

23. What does the speaker ask the listener to do?

    (A) Fill out a document carefully
    (B) Return her phone call soon
    (C) Consult with a pharmacist
    (D) Reschedule an appointment

24. What will the speaker send the listener?

    (A) Medical records
    (B) Eye care products
    (C) Meeting schedules
    (D) Promotional material

B

Listen again and fill in the blanks.

Questions 22 through 24 refer to the following telephone message.

Hello, Mr. Harris. This is Georgia Sanford calling from the Eye Care Clinic. I understand that you want to change your appointment time. (①_____), Dr. Carlisle will be seeing other patients at the times you (②_____). We do have openings at eight and nine in the morning on Friday. They'll likely be (③_____) by the end of today, though. So if either time (④_____) your schedule, please call us back at your earliest convenience. As for (⑤_____) on Kyzer & Company's new contact lenses, we do have some left. I'll send you one today so you can look at it before your appointment. You might also want to (⑥_____) asking Dr. Carlisle about other brands. I look forward to hearing from you.

✕ スクリプトの語注

- **appointment** 名 予約
  - 動 **appoint** 指名する
- **see** 動 診察する
- **patient** 名 患者
- **opening** 名 空き
- **at your earliest convenience** できるだけ早く
- **might want to ～** ～してもいいかもしれない

B 重要語穴埋め 解答

1. **Unfortunately** 副 残念ながら
   形 **unfortunate** 不運な
2. **requested** 原形は request 動 要望する
   名 **request** 要望
3. **filled** 原形は fill 動 埋める
4. **suits** 原形は suit 動 合う
5. **brochures** (名 brochure の複数形) パンフレット
6. **consider** 動 考慮する
   名 **consideration** 熟考、留意事項、思いやり

22.

Why is the speaker calling?

話し手はなぜ電話をかけていますか。

- (A) To respond to a request
  要望に対して返事をするため
- (B) To confirm an appointment time
  予約時間を確認するため
- (C) To request contact information
  連絡先の情報を求めるため
- (D) To describe a popular product
  人気商品の説明をするため

正解 (A)

冒頭、Hello, Mr. Harris. This is Georgia Sanford calling from the Eye Care Clinic. I understand that you want to change your appointment time. と言っている。ここから、話し手はMr. Harrisから予約時間変更の要望を受け、折り返し電話をしていることがわかる。よって、(A) が正解。

語注

- □ **respond** 動 返事をする
- □ **request** 名 要望
- □ **confirm** 動 確認する
- □ **appointment** 名 予約
- □ **contact** 名 連絡
- □ **describe** 動 説明する

23.

What does the speaker ask the listener to do?

話し手は、聞き手に何をするよう頼んでいますか。

- (A) Fill out a document carefully
  慎重に書類に記入する

(B) Return her phone call soon
すぐ折り返しの電話をする

(C) Consult with a pharmacist
薬剤師と相談する

(D) Reschedule an appointment
予約を変更する

正解 (B)

please call us back at your earliest convenience. と言って、できるだけ早く電話をかけることを頼んでいるので、(B) が正解。

語注

- **fill out** 記入する
- **document** 名 書類
- **carefully** 副 慎重に
- **return a call** 折り返し電話をする
- **consult** 動 相談する
- **pharmacist** 名 薬剤師
- **reschedule** 動 予定を変更する

24.

What will the speaker send the listener?
話し手は、聞き手に何を送りますか。

(A) Medical records
医療記録

(B) Eye care products
アイケア用品

(C) Meeting schedules
会議のスケジュール

(D) Promotional material
宣伝資料

解答・解説

正解 (D)

As for brochures on Kyzer & Company's new contact lenses, we do have some left. I'll send you one today と言っているので、コンタクトレンズの brochure (パンフレット) を送ることがわかる。これは promotional material の一種なので、(D) が正解。

語注

- **medical** 形 医療の
- **record** 名 記録
- **promotional** 形 宣伝の
- **material** 名 資料

スクリプト訳

質問22～24は次の電話のメッセージに関するものです。

もしもし、Harris さん。Eye Care Clinic の Georgia Sanford です。ご予約のお時間を変更なさりたいとのことですね。申し訳ないのですが、ご希望のお時間には、Carlisle 医師は別の患者さんを診察することになっています。金曜日の朝8時と9時でしたら空きがあります。それも本日中には埋まると思われますが。なので、いずれかの時間がご都合に合えば、できるだけ早くお電話をください。Kyzer & Company の新しいコンタクトレンズのパンフレットに関しては、まだいくらか残っております。こちらにいらっしゃる前にご覧になれるよう、本日一部お送りします。他のブランドについて Carlisle 医師に質問することを考えるのもいいかもしれません。ではご連絡をお待ちしております。

「音を使ったトレーニング（9～10ページ [7]）」で本物の実力を養成しましょう！ やるかやらないか、ここが分かれ目です。

Unit 29

A

Listen to Track 29 and answer the following questions.

25. What is the purpose of the short talk?

(A) To outline an itinerary
(B) To commence a meeting
(C) To respond to a question
(D) To clarify a misunderstanding

26. What are the listeners asked to do?

(A) Read the quarterly report carefully
(B) Submit suggestions to Mr. Olsen
(C) Fill out a questionnaire after the meeting
(D) Hold questions until the end of the talk

27. What will probably happen next?

(A) Some documents will be distributed.
(B) A managing director will talk about the company's performance.
(C) Mr. Olsen will take questions from the listeners.
(D) An investor relations team will give a presentation.

B

Listen again and fill in the blanks.

Questions 25 through 27 refer to the following talk.

Welcome to our (①   ) earnings meeting. I'm Chris Olsen from the (②   ) relations team. I hope you all received the third quarter report and press release, which were (③   ) earlier today. If you haven't, they're available on the intranet. In a moment, managing director Natasha Wood will begin discussing the company's recent performance and changes to our pricing (④   ). Kindly (⑤   ) from asking questions until she's finished. Any unanswered queries can be sent to me at colsen@almora.com. Before I hand over to Ms. Wood, I have an exciting announcement to make. Almora Medicinal has been (⑥   ) by *Bizz-Asia* magazine for its list of top 20 pharmaceutical companies. We should be very proud of this. And now, over to you, Ms. Wood.

✖ スクリプトの語注

- **earning** 名 収益
  動 **earn** 得る、利益を出す
- **quarter** 名 四半期
- **press release** 報道発表
- **available** 形 入手できる
  名 **availability** 利用できること、入手の可能性、空き状況
- **pricing** 名 価格設定　名 **price** 値段
- **pharmaceutical** 形 製薬の
  名 **pharmaceutical** 製薬　名 **pharmacy** 薬局
  名 **pharmacist** 薬剤師

B 重要語穴埋め 解答

1. **quarterly** 形 四半期の
   名 **quarter** 四半期、4分の1
   副 **quarterly** 四半期ごとに
2. **investor** 名 投資家
   動 **invest** 投資する
   名 **investment** 投資
3. **distributed** 原形は distribute 動 配布する
   名 **distribution** 配布、流通
4. **strategy** 名 戦略
   形 **strategic** 戦略の
5. **refrain** 動 控える
6. **selected** 原形は select 動 選ぶ　同 choose
   名 **selection** 選択

A 解答・解説

25.

What is the purpose of the short talk?

この話の目的は何ですか。

(A) To outline an itinerary
旅程の概要を説明するため
(B) To commence a meeting
会議を始めるため
(C) To respond to a question
質問に答えるため
(D) To clarify a misunderstanding
誤解を解くため

正解 (B)

冒頭、Welcome to our quarterly earnings meeting. という挨拶で、参加者を歓迎し、資料に関する確認やこれから話す事項の説明を行っている。この話が会議の冒頭でなされていることがわかるので、正解は (B)。

語注

- **purpose** 名 目的
- **outline** 動 概要を説明する
- **itinerary** 名 旅行の日程
- **commence** 動 始める
- **respond** 動 答える
- **clarify** 動 はっきりさせる
- **misunderstanding** 名 誤解

26.

What are the listeners asked to do?

聞き手は何をするよう頼まれていますか。

(A) Read the quarterly report carefully
四半期報告を丁寧に読む

(B) Submit suggestions to Mr. Olsen
Olsen さんに提案を出す

(C) Fill out a questionnaire after the meeting
会議の後、アンケートに記入する

(D) Hold questions until the end of the talk
質問は話の最後まで控える

正解 (D)

Natasha Woodがこれから話をするということを伝えた後、Kindly refrain from asking questions until she's finished. と頼んでいる。refrain from asking questions を hold questions に言い換えた (D) が正解。

語注

□ **report** 名 報告書　□ **carefully** 副 丁寧に
□ **submit** 動 提出する　□ **suggestion** 名 提案
□ **fill out** 記入する
□ **questionnaire** 名 アンケート　□ **hold** 動 控える

27.

What will probably happen next?
次におそらく何がありますか。

(A) Some documents will be distributed.
書類が配られる。

(B) A managing director will talk about the company's performance.
取締役が、会社の業績について話す。

(C) Mr. Olsen will take questions from the listeners.
Olsen さんが、聞き手から質問を受ける。

(D) An investor relations team will give a presentation.
投資家向け広報チームが、プレゼンをする。

正解 (B)

中盤に In a moment, managing director Natasha Wood will begin discussing the company's recent performance and changes to our pricing strategy. と伝え、最後に And now, over to you, Ms. Wood. と言っているので、これから managing director である Ms. Wood が company's recent performance について話すことがわかる。よって、(B) が正解。

語注

- **distribute** 動 配る
- **managing director** 取締役
- **performance** 名 業績
- **investor** 名 投資家
- **investor relations** 投資家向け広報活動

スクリプト訳

問題25～27は次の話に関するものです。

当社の四半期収益報告会議にようこそ。私は投資家向け広報チームの Chris Olsen です。本日先にお配りした第3四半期報告と報道発表を、皆さん全員が受け取ったことと思います。もし受け取っていなければ、イントラネットでご覧になれます。まもなく取締役の Natasha Wood が、当社の最近の業績について話し、価格設定の戦略の変更に関してご説明いたします。彼女の話が終わるまで、どうかご質問はお控えください。お答えできなかったご質問は、私宛に colsen@almora.com までお送りください。Wood さんに引き継ぐ前に、素晴らしいお知らせがあります。Almora Medicinal は、Bizz-Asia 誌の製薬会社トップ20のリストに選ばれました。これは非常に誇るべきことです。さあそれでは、Wood さん、お願いいたします。

「音を使ったトレーニング（9～10ページ **7**）」で本物の実力を養成しましょう！ やるかやらないか、ここが分かれ目です。

Unit 30

A 🔊 30

Listen to Track 30 and answer the following questions.

28. What is the announcement about?

    (A) Schedule changes
    (B) Flight cancellations
    (C) Safety procedures
    (D) Special offers

29. What are passengers directed to do?

    (A) Listen to a weather forecast
    (B) Check a bulletin board periodically
    (C) Proceed to a new departure gate
    (D) Wait in an airport café

30. According to the announcement, what should passengers with connecting flights do?

    (A) Ask an airline employee to reissue their boarding pass
    (B) Call an airline's customer service center
    (C) Book a new flight upon arriving in Seoul
    (D) Speak to a Eurasian Airlines representative

B

Listen again and fill in the blanks.

Questions 28 through 30 refer to the following announcement.

Attention all Eurasian Airlines passengers on Flight 247 to Seoul. We are sorry to inform you that due to snow on the runway, this flight will be (①   ). Snow removal is (②   ) and the flight is expected to (③   ) from gate 62 in about two hours. Passengers should wait for boarding instructions at the new departure gate. (④   ) beverages and snacks are available for Flight 247 passengers next to the airline counter at the gate. Any passengers who have a connecting flight in Seoul should speak to one of the customer service (⑤   ) at the counter, who will provide assistance if you need to make arrangements for a different connecting flight. We (⑥   ) for the inconvenience.

❎ スクリプトの語注

- □ **due to ~** ~のため
- □ **removal** 名 除去 動 **remove** 取り除く、移動する
- □ **instruction** 名 指示
  動 **instruct** 指示する、指導する
  名 **instructor** 講師
- □ **departure** 名 出発 反 **arrival** 到着
  動 **depart** 出発する
- □ **connecting flight** 乗り継ぎ便
- □ **assistance** 名 手助け
  動 **assist** 手伝う 名 **assistant** アシスタント
- □ **inconvenience** 名 迷惑
  形 **inconvenient** 不都合な、不便な

B 重要語穴埋め 解答

1. **delayed** 原形は delay 動 遅らせる
   名 **delay** 遅れ
2. **underway** 形 進行中の
3. **depart** 動 出発する 反 **arrive** 到着する
   名 **departure** 出発
4. **Complimentary** 形 無料の 同 free
5. **representatives** (名 representative の複数形) 担当者
   動 **represent** 代表する
6. **apologize** 動 謝る
   名 **apology** 謝罪

A 解答・解説

28.

What is the announcement about?

何についてのアナウンスですか。

(A) Schedule changes
予定の変更
(B) Flight cancelations
フライトの欠航
(C) Safety procedures
安全手順
(D) Special offers
特別提供

正解 (A)

this flight will be delayed... the flight is expected to depart from gate 62 in about two hours. と言っているのでフライトの遅れに関するアナウンスだとわかる。これは予定の変更と捉えることができるので、(A) が正解。

語注

□ **cancelation** 名 中止　□ **safety** 名 安全
□ **procedure** 名 手順

29.

What are passengers directed to do?

乗客は何をするよう指示されていますか。

(A) Listen to a weather forecast
天気予報を聞く
(B) Check a bulletin board periodically
定期的に掲示板をチェックする

(C) Proceed to a new departure gate
新しい出発ゲートへ進む

(D) Wait in an airport café
空港のカフェで待つ

正解 (C)

Passengers should wait for boarding instructions at the new departure gate. と言っている。新しい出発ゲートで搭乗案内を待てという指示なので、(C) が正解。

語注

- **direct** 動 指示する
- **weather forecast** 天気予報
- **bulletin board** 掲示板
- **periodically** 副 定期的に
- **proceed** 動 進む

30.

According to the announcement, what should passengers with connecting flights do?

アナウンスによれば、乗り継ぎ便を利用する乗客は何をするべきですか。

(A) Ask an airline employee to reissue their boarding pass
航空会社の従業員に、搭乗券の再発行をするように頼む

(B) Call an airline's customer service center
航空会社の顧客サービスセンターに電話する

(C) Book a new flight upon arriving in Seoul
Seoul に到着したらすぐ新しい便を予約する

(D) Speak to a Eurasian Airlines representative
Eurasian Airlines の担当者と話す

正解 (D)

Any passengers who have a connecting flight in Seoul should speak to one of the customer service representatives at the counter, と言っているので、ソウルで乗り継ぎ便を利用する乗客はカスタマーサービス担当者に話をするべき。これは (D) の内容と一致する。

語注

- **passenger** 名 乗客
- **connecting flight** 乗り継ぎ便
- **reissue** 動 再発行する
- **boarding pass** 搭乗券
- **book** 動 予約する
- **representative** 名 担当者

スクリプト訳

問題28〜30は次のアナウンスに関するものです。

Eurasian Airlines 247便 Seoul 行きをご利用のお客さまにご案内いたします。申し訳ございませんが、滑走路上の雪のため、この便は遅れます。現在除雪作業が行われており、この便はおよそ2時間後に62番ゲートから出発する見通しです。ご搭乗のお客さまは、新しい出発ゲートで搭乗のご案内をお待ちください。247便のお客さまは、ゲートの航空カウンター横で、お飲み物と軽食の無料サービスをご利用になれます。ソウルで乗り継ぎのお客さまは、別の乗り継ぎ便を手配する必要がありましたら、カウンターでカスタマーサービス担当者にお話しくだされば お手伝いをいたします。ご迷惑をおかけしておりますことをおわびいたします。

「音を使ったトレーニング (9〜10ページ **7**)」で本物の実力を養成しましょう! やるかやらないか、ここが分かれ目です。

Unit 31

A

Listen to Track 31 and answer the following questions.

31. Where does the speaker work?

    (A) At a magazine
    (B) At a design firm
    (C) At an ad agency
    (D) At a fitness center

32. What is the main purpose of the message?

    (A) To describe a product
    (B) To promote a periodical
    (C) To schedule a meeting
    (D) To reply to an inquiry

33. How can Ms. Morell receive a discount?

    (A) By designing her own advertisement
    (B) By increasing the width of an advertisement
    (C) By presenting some vouchers
    (D) By placing an advertisement multiple times

B

Listen again and fill in the blanks.

Questions 31 through 33 refer to the following telephone message.

This is Maria Santos from the advertising department of *Sports Star Magazine*. I'm (①   ) a phone call from Patricia Morell. In response to your (②   ), Ms. Morell, our advertising rates (③   ) according to the size of the advertisement, where it is placed in the magazine, and how often you want us to print it. We offer lower rates for ads that run in more than one issue. For example, if you'd like to place an ad two weeks in a (④   ), you'll receive 20 percent off the cost of the second printing. We also have a design department that could help you (⑤   ) your ad. For more (⑥   ), please call me at 555-0904. I look forward to speaking with you.

スクリプトの語注

- **in response to ～**　～に応えて
- **place**　動 (広告を) 出す
- **issue**　名 (雑誌の) 号、発行、刷り
  動 **issue**　出す
- **for example**　例えば　同 for instance
- **cost**　名 費用
  動 **cost**　費用がかかる
- **ad**　名 広告 (advertisementの省略形)

B 重要語穴埋め 解答

1. **returning**　原形は return 動 返す
   return a phone call　折り返し電話をする
2. **inquiry**　名 問い合わせ
   動 **inquire**　尋ねる
3. **vary**　動 変化する
   形 **various**　多様な
   名 **variety**　種類
4. **row**　名 列
   in a row　続けて
5. **create**　動 作り出す
   形 **creative**　創造的な
   名 **creation**　創造
6. **details**　(名 detail の複数形) 詳細

A 解答・解説

31.

Where does the speaker work?

話し手はどこで働いていますか。

(A) At a magazine
雑誌
(B) At a design firm
デザイン会社
(C) At an ad agency
広告代理店
(D) At a fitness center
フィットネスセンター

正解 (A)

冒頭、This is Maria Santos from the advertising department of *Sports Star Magazine*. と言っているので、*Sports Star Magazine* という雑誌を出している会社で働いていることがわかる。全体で雑誌に広告を出す際の料金の説明をしているが、広告代理店ではないので注意。

語注

□ **firm** 名 会社   □ **agency** 名 代理店

32.

What is the main purpose of the message?

メッセージの主な目的は何ですか。

(A) To describe a product
製品を説明すること
(B) To promote a periodical
定期刊行物を宣伝すること

(C) To schedule a meeting
会議の予定を組むこと

(D) To reply to an inquiry
問い合わせに応えること

正解 (D)

In response to your inquiry, Ms. Morell, our advertising rates vary according to the size of the advertisement, と言って広告のレートの説明を始めているので、このメッセージは問い合わせに応えているものであるとわかる。

語注

- **describe** 動 説明する
- **promote** 動 宣伝する
- **periodical** 名 定期刊行物
- **schedule** 動 予定に入れる
- **reply** 動 答える
- **inquiry** 名 問い合わせ

33.

How can Ms. Morell receive a discount?
Morellさんはどうやって割引を受けられますか。

(A) By designing her own advertisement
自分で広告をデザインすることによって

(B) By increasing the width of an advertisement
広告の幅を広げることによって

(C) By presenting some vouchers
割引券を見せることによって

(D) By placing an advertisement multiple times
広告を複数回出すことによって

正解 (D)

We offer lower rates for ads that run in more than one issue. と言った後、2週続けて出したら、2回目は20%割引になるという例を挙げている。ここから広告を複数回出すと割引になることがわかるので、(D) が正解。

語注

- receive 動 受ける
- increase 動 増やす
- present 動 見せる
- multiple 形 複数の
- discount 名 割引
- width 名 幅
- place 動 (広告を) 出す

スクリプト訳

問題31〜33は次の電話のメッセージに関するものです。

こちらは Sports Star Magazine の広告部門の Maria Santos です。Patricia Morell に折り返しお電話をしております。お問い合わせにお応えしますと、Morell さん、我々の広告料金は、広告のサイズ、雑誌の中での広告掲載位置、掲載回数によって異なります。2回以上の広告には割引料金を提供いたします。たとえば2週続けて広告を掲載なさる場合、2度目の掲載料金は20パーセント割引になります。当社には広告作成をお手伝いすることもできるデザイン部もあります。詳細に関しては、私宛に555-0904までお電話をください。ご連絡をお待ちしております。

「音を使ったトレーニング (9〜10ページ 7)」で本物の実力を養成しましょう！ やるかやらないか、ここが分かれ目です。

Unit 32

A

Listen to Track 32 and answer the following questions.

34. Why has the speaker called a meeting?

    (A) He wants to apologize to his staff.
    (B) A manager has been replaced.
    (C) The president will visit their office.
    (D) A problem needs to be addressed.

35. What does the speaker mention about the Tripex K-50?

    (A) It is compatible with new lenses.
    (B) It is available in five colors.
    (C) It is equipped with a flash.
    (D) It is easy to operate.

36. What will the listeners most likely do next?

    (A) Inspect some gadgets
    (B) Read some manuals
    (C) Deliver some goods
    (D) Phone some shops

B

Listen again and fill in the blanks.

Questions 34 through 36 refer to the following excerpt from a meeting.

Good afternoon, everyone. I want to (①   ) for calling this meeting on such short (②   ), but there's a serious issue that requires our (③   ) attention. We've received a complaint from a retailer about our new digital camera, the Tripex K-50. Two of their customers said that the built-in flashes on the black K-50s they bought didn't work. These cameras were (④   ) to the store and they'll be sent here. Once they're in our hands, we'll (⑤   ) them. For the time being, we need to find out if any other (⑥   ) have received similar complaints. So I'd like you to call the stores that sell Tripex cameras right away. If similar complaints have been made, please let me know immediately.

✕ スクリプトの語注

- **issue** 名 問題
  - 動 **issue** 出す
- **require** 動 求める
  - 名 **requirement** 条件
- **attention** 名 対応
- **complaint** 名 苦情
  - 動 **complain** 苦情を言う
- **for the time being** さしあたりは
- **similar** 形 似たような
  - 名 **similarity** 類似
- **right away** 即座に

B 重要語穴埋め 解答

1. **apologize** 動 謝る
   - 名 **apology** 謝罪
2. **notice** 名 通告
   - **on such short notice** 急に
3. **immediate** 形 即時の
   - 副 **immediately** 即時に
4. **returned** 原形は return 動 返品する
5. **inspect** 動 検査する
   - 名 **inspection** 検査
   - 名 **inspector** 検査官
6. **retailers** （名 retailerの複数形）小売店
   - 名 **retail** 小売
   - 動 **retail** 小売りする

203

A 解答・解説

34.

Why has the speaker called a meeting?

話し手はなぜ会議を招集しましたか。

(A) He wants to apologize to his staff.
   彼はスタッフに謝りたい。
(B) A manager has been replaced.
   マネジャーが替わった。
(C) The president will visit their office.
   社長がオフィスを訪問する。
(D) A problem needs to be addressed.
   問題に対処する必要がある。

正解 (D)

話し手は急に会議を招集した理由を、there's a serious issue that requires our immediate attention. と言い、どのような問題か説明している。よって、(D) が正解。

語注
□ **apologize** 動 謝る　□ **replace** 動 交換する
□ **address** 動 対処する

35.

What does the speaker mention about the Tripex K-50?

話し手は、Tripex K-50について何と言っていますか。

(A) It is compatible with new lenses.
   新しいレンズと互換性がある。
(B) It is available in five colors.
   色が5色ある。

(C) It is equipped with a flash.
フラッシュが備え付けてある。

(D) It is easy to operate.
操作が簡単である。

正解 (C)

Tripex K-50の問題を説明する中で、the built-in flashes on the black K-50s they bought didn't work. と言っている。ここからこのカメラにはフラッシュが付いていることがわかるので、(C) が正解。

語注

- **compatible** 形 互換性がある
- **available** 形 入手可能な
- **equip** 動 備え付ける
- **operate** 動 操作する

36.

What will the listeners most likely do next?
聞き手は、次におそらく何をしますか。

(A) Inspect some gadgets
機器を検査する

(B) Read some manuals
マニュアルを読む

(C) Deliver some goods
品物を配達する

(D) Phone some shops
店に電話する

正解 (D)

後半、I'd like you to call the stores that sell Tripex cameras right away. と言っている。よって、聞き手はこれから販売店に電話をかけると予想できるので、(D) が正解。

語注

- **most likely** もっともありそうな
- **inspect** 動 検査する
- **deliver** 動 配達する

スクリプト訳

問題 34 ～ 36 は次のミーティングの抜粋に関するものです。

皆さん、こんにちは。こんなに急に会議を招集したことに対しておわびいたしますが、我々が今すぐ対処すべき重要な問題があります。我が社の新しいデジタルカメラ Tripex K-50 について、小売業者から苦情を受けました。彼らの顧客のうち 2 人が、購入した黒の K-50 の内蔵フラッシュが作動しないと言っているのです。これらのカメラは店に返品されており、ここに送られる予定です。我々の手元に届き次第、検査します。さしあたっては、他の小売店が同様の苦情を受けているか調べる必要があります。ですから、Tripex カメラの販売店にただちに電話してください。同様の苦情があった場合は、すぐに私に知らせてください。

「音を使ったトレーニング (9～10 ページ **7**)」で本物の実力を養成しましょう！やるかやらないか、ここが分かれ目です。

Unit 33

A

Listen to Track 33 and answer the following questions.

37. Where is this announcement taking place?

    (A) At a hotel
    (B) At a hospital
    (C) At a cafeteria
    (D) At a supermarket

38. What is the main purpose of the announcement?

    (A) To report that a car is being towed
    (B) To inform shoppers about special offers
    (C) To welcome visitors to a banquet
    (D) To request that a vehicle be moved

39. What problem does the speaker mention?

    (A) A vehicle is improperly parked.
    (B) A tourist has been misinformed.
    (C) A meter requires more coins.
    (D) A reception area is crowded.

B

Listen again and fill in the blanks.

Questions 37 through 39 refer to the following announcement.

This is an (①   ) from the reception desk. A blue Sarati van is parked in a no-parking zone at the east side of the hotel. The owner should move the vehicle (②   ) or it will be towed. We would like to (③   ) visitors that the parking lot at the rear of the building is available to our guests. If you are visiting the hotel for dining or another (④   ) and all spots in our lot are taken, please use the lot on Wilson Street, which is (⑤   ) one block north of here near the hospital. Metered parking is also available on the street in front of the hotel between 9 A.M. and 7 P.M. every day. We (⑥   ) your cooperation.

✖ スクリプトの語注

- □ **reception** 名 受付
- □ **zone** 名 区域
- □ **tow** 動 レッカー移動する
- □ **rear** 名 後ろ
- □ **available** 形 利用可能な
  名 **availability** 利用できること
- □ **spot** 名 場所
- □ **cooperation** 名 協力
  動 **cooperate** 協力する
  形 **cooperative** 協力的な

B 重要語穴埋め 解答

1. **announcement** 名 アナウンス
   動 **announce** 発表する
2. **immediately** 副 すぐに
   形 **immediate** 即座の
3. **remind** 動 人に思い起こさせる
   名 **reminder** 思い出させるもの
4. **reason** 名 理由
5. **located** 形 位置する
   名 **location** 場所
   動 **locate** 場所を見つける
6. **appreciate** 動 感謝する
   名 **appreciation** 感謝
   形 **appreciative** 感謝している

37.

Where is this announcement taking place?

このアナウンスはどこでされていますか。

(A) At a hotel
ホテル
(B) At a hospital
病院
(C) At a cafeteria
カフェテリア
(D) At a supermarket
スーパーマーケット

正解 (A)

at the east side of the hotel. や If you are visiting the hotel for dining or another reason などからホテルでのアナウンスであることがわかる。

語注

□ **take place** 行われる

38.

What is the main purpose of the announcement?

アナウンスの主な目的は何ですか。

(A) To report that a car is being towed
車がレッカー移動されていることを報告するため
(B) To inform shoppers about special offers
買い物客に特売品を知らせるため
(C) To welcome visitors to a banquet
宴会に来た客を歓迎するため

(D) To request that a vehicle be moved
車を移動することを頼むため

正解 (D)

冒頭、バンが駐車禁止区域に止められていることを伝え、The owner should move the vehicle immediately or it will be towed. と言っている。そのバンを移動してほしいと伝えることがこのアナウンスの目的なので、(D) が正解。

語注

- **report** 動 報告する
- **special offer** 特売品
- **request** 動 頼む
- **inform** 動 知らせる
- **banquet** 名 宴会

39.

What problem does the speaker mention?
話し手はどんな問題について話していますか。

(A) A vehicle is improperly parked.
車が不適切に駐車されている。
(B) A tourist has been misinformed.
観光客は誤った情報を与えられている。
(C) A meter requires more coins.
メーターにもっとコインを入れる必要がある。
(D) A reception area is crowded.
受付が混雑している。

正解 (A)

冒頭、A blue Sarati van is parked in a no-parking zone at the east side of the hotel. と述べている。これが問題にあた

211

A 解答・解説

るので、(A) のように言い換えることができる。

語注
- **improperly** 副 不適切に
- **misinform** 動 誤った情報を伝える
- **require** 動 必要とする

スクリプト訳

問題37〜39は次のアナウンスに関する問題です。

フロントからのご案内です。ホテルの東側の駐車禁止区域に、青いSaratiのバンが1台止まっています。持ち主の方は車をすぐに移動させてください。そうしていただけない場合はレッカー移動いたします。当ホテルのお客さまは建物の裏の駐車場がご利用になれることを皆さまにお伝えいたします。お食事などで当ホテルにお越しになり、駐車場のすべての場所が埋まっている場合は、ここから1ブロック北の病院の近くにあるWilson Streetの駐車場をご使用ください。ホテル前の通りのメーター制駐車場も、毎日午前9時から午後7時までご利用可能です。ご協力ありがとうございます。

「音を使ったトレーニング（9〜10ページ ７）」で本物の実力を養成しましょう！ やるかやらないか、ここが分かれ目です。

Unit 34

A

Listen to Track 34 and answer the following questions.

40. What is the main purpose of the message?

    (A) To provide financial information
    (B) To present some client feedback
    (C) To inform the listener about availability
    (D) To introduce a new type of service

41. Who most likely is the speaker?

    (A) A business consultant
    (B) An insurance broker
    (C) A real estate agent
    (D) A bank teller

42. What does the speaker suggest the listener do?

    (A) Make plans with her superior
    (B) Attend an afternoon assembly
    (C) Meet with her for half an hour
    (D) Choose between two weekdays

213

B

Listen again and fill in the blanks.

Questions 40 through 42 refer to the following telephone message.

Hello Mr. McKenna. This is Maureen Lockhart calling from Mammon Financial Services. I received your message about changing our meeting time on Tuesday from 11 o'clock to sometime later in the day. But I'm afraid I'll be tied up with other clients for most of the afternoon. I am available for half an hour from three, although I don't think that is enough time to go over your (①   ) options (②   ). On Thursday and Friday there are openings on my schedule. Please (③   ) whether either of these days is (④   ) for you and then let me know. If I'm not available when you call, my (⑤   ), Ellen Hester, can set up the (⑥   ). I look forward to meeting you. Good bye.

✕ スクリプトの語注

- **I'm afraid** 申し訳ありませんが
- **be tied up with ～** ～で手がいっぱいである
- **available** 形 空いている
- **go over** 入念にチェックする
- **option** 名 オプション
  - 動 **opt** 選ぶ
  - 形 **optional** 選択の、任意の
- **opening** 名 空き

B 重要語穴埋め 解答

1. **insurance** 名 保険
   - 動 **insure** 保険をかける
2. **thoroughly** 副 じっくり
   - 形 **thorough** 徹底的な
3. **decide** 動 決める
   - 名 **decision** 決定
4. **suitable** 形 適した
   - 動 **suit** 合う
5. **secretary** 名 秘書
6. **appointment** 名 (決まった場所と時間に会う) 約束

40.

What is the main purpose of the message?
このメッセージの主な目的は何ですか。

(A) To provide financial information
財務情報を提供するため
(B) To present some client feedback
顧客からのフィードバックを伝えるため
(C) To inform the listener about availability
聞き手に都合を知らせるため
(D) To introduce a new type of service
新型のサービスを紹介するため

正解 (C)

初めに I received your message about changing our meeting time on Tuesday from 11 o'clock to sometime later in the day. と言っているので、会う時間の変更依頼に対する返答の電話であることがわかる。それに続く部分で、スケジュールの空き状況を説明している。「いつ空いているか」というのは availability であるので、(C) が正解。

語注

- **purpose** 名 目的
- **provide** 動 提供する
- **financial** 形 財務の
- **present** 動 伝える
- **inform** 動 知らせる
- **availability** 名 空き状況
- **introduce** 動 紹介する

41.

Who most likely is the speaker?
話し手はおそらく誰ですか。

(A) A business consultant
   ビジネスコンサルタント
(B) An insurance broker
   保険仲介業者
(C) A real estate agent
   不動産業者
(D) A bank teller
   銀行の窓口係

正解 (B)

冒頭の This is Maureen Lockhart calling from Mammon Financial Services. と中盤の I don't think that is enough time to go over your insurance options thoroughly. がヒントになる。ここから話し手が金融会社で保険を取り扱っていることがわかる。よって、(B) が正解。

語注

- **insurance** 名 保険
- **broker** 名 仲介業者
- **real estate** 不動産
- **agent** 名 代理店
- **bank teller** 銀行の窓口係

42.

What does the speaker suggest the listener do?
話し手は、聞き手に何をするよう提案していますか。

(A) Make plans with her superior
   彼女の上司と計画を立てる
(B) Attend an afternoon assembly
   午後の集会に出席する
(C) Meet with her for half an hour
   彼女に30分間会う

(D) Choose between two weekdays
平日2日の間で選ぶ

正解 (D)

木曜日と金曜日にスケジュールの空きがあると伝えた後、Please decide whether either of these days is suitable for you and then let me know. と言っている。2つの曜日の選択肢が与えられ、どちらかが都合がよいか決めるというのは、Choose between two weekdays ということになるので、(D) が正解。

語注

- **suggest** 動 提案する
- **attend** 動 出席する
- **superior** 名 上司
- **assembly** 名 集会

スクリプト訳

問題40~42は次の電話のメッセージに関するものです。

もしもし、McKenna さん。Mammon Financial Services の Maureen Lockhart です。火曜日の会合時間を、11時からもっと遅い時間に変更したいというメッセージを受け取りました。しかし申し訳ありませんが、午後はほとんど他のクライアントでとの予定でいっぱいです。3時から30分間は空きますが、あなたの保険のオプションをしっかり確認するには時間が足りないと思います。木曜日と金曜日はスケジュールに空きがあります。どちらかご都合のよろしい日があるかお決めになり私に知らせてください。お電話をいただいたとき私につながらなければ、秘書の Ellen Hester が面会の設定をいたします。お会いできることを楽しみにしております。失礼します。

「音を使ったトレーニング (9~10ページ 7)」で本物の実力を養成しましょう！ やるかやらないか、ここが分かれ目です。

Unit 35

A

Listen to Track 35 and answer the following questions.

43. What is the main purpose of the report?

    (A) To announce an initiative to promote tourism
    (B) To give information about local attractions
    (C) To notify citizens about an exhibition
    (D) To report about highway construction

44. Why is the city installing new signs?

    (A) To commemorate its anniversary
    (B) To promote local tourist attractions
    (C) To improve road safety
    (D) To raise awareness on environmental issues

45. What will the Highway 34 sign do?

    (A) Show the emblem of the city
    (B) Direct tourists to a historical site
    (C) Provide information about an airport
    (D) Welcome visitors to a seaside area

B

Listen again and fill in the blanks.

Questions 43 through 45 refer to the following report.

Good afternoon, Bradford! This is Ronald Goldman with the news. Mayor Housel announced today that the city will be (①   ) several new signs at (②   ) locations. Their purpose will be to (③   ) the region's history and several of its tourist attractions. Two billboards, both near Chatwin Airport, have already been (④   ) as part of an effort to promote Bradford City Zoo. The mayor also said that Highway 34 near the South Bradford beach community will receive a new sign welcoming visitors to the beaches and seaside attractions near Seaport Marina. The sign is (⑤   ) to attract more visitors and businesses to the area, and to (⑥   ) which highway exit to take to get to the marina and Bradford Beach.

スクリプトの語注

- **announce** 動 発表する
  - 名 **announcement** お知らせ
- **several** 形 いくつかの
- **sign** 名 看板　動 sign 署名する
- **location** 名 場所
  - 動 **locate** 場所を見つける
- **purpose** 名 目的
- **tourist attraction** 観光名所
- **effort** 名 努力

B 重要語穴埋め 解答

1. **introducing** 原形は introduce 動 導入する
   - 名 **introduction** 紹介、導入
   - 形 **introductory** 入門の、紹介の
2. **various** 形 さまざまな
   - 動 **vary** 変化
   - 名 **variety** 種類
3. **promote** 動 宣伝する
   - 名 **promotion** 宣伝、昇進
4. **installed** 原形は install 動 設置する
5. **intended** 原形は intend 動 意図する
6. **indicate** 動 示す
   - 名 **indication** 指し示すこと、兆候

43.

What is the main purpose of the report?

このレポートの主な目的は何ですか。

(A) To announce an initiative to promote tourism
観光促進の取り組みを知らせる
(B) To give information about local attractions
地元の名所に関する情報を与える
(C) To notify citizens about an exhibition
展覧会について市民に知らせる
(D) To report about highway construction
幹線道路の工事について報告する

正解 (A)

市長が新しい看板を導入すると発表したことを伝え、Their purpose will be to promote the region's history and several of its tourist attractions. と述べている。よって、このレポートの目的は観光促進への取り組みを伝えることということができる。

語注

- **initiative** 名 取り組み
- **attraction** 名 名所
- **notify** 動 知らせる
- **exhibition** 名 展覧会
- **construction** 名 建設

44.

Why is the city installing new signs?

市はなぜ新しい看板を取り付けていますか。

(A) To commemorate its anniversary
記念日を祝うため

Part 4—Unit 35

(B) To promote local tourist attractions
地元の観光名所を宣伝するため
(C) To improve road safety
道路の安全を改善するため
(D) To raise awareness on environmental issues
環境問題への意識を高めるため

正解 (B)

新しい看板に関して、Their purpose will be to promote the region's history and several of its tourist attractions. と説明している。よって、(B) のように言い換えることができる。

語注

□ **install** 動 設置する　□ **commemorate** 動 祝う
□ **promote** 動 宣伝する
□ **tourist attraction** 観光名所
□ **improve** 動 改善する　□ **safety** 名 安全
□ **awareness** 名 意識
□ **environmental** 形 環境の

45.

What will the Highway 34 sign do?
幹線道路34号線の看板は、何をしますか。

(A) Show the emblem of the city
市の紋章を見せる
(B) Direct tourist to a historical site
史跡へ観光客を導く
(C) Provide information about an airport
空港に関する情報を提供する
(D) Welcome visitors to a seaside area
海辺地域への観光客を歓迎する

A 解答・解説

正解 (D)

Highway 34の看板については、最後に The sign is intended to attract more visitors and businesses to the area, and to indicate which highway exit to take to get to the marina and Bradford Beach. と述べている。よって、(D) が正解。

語注

- **emblem** 名 紋章
- **direct** 動 ～へ向かわせる
- **historical** 形 歴史の
- **provide** 動 提供する
- **welcome** 動 歓迎する

スクリプト訳

問題43～45は次のレポートに関するものです。

こんにちは、Bradford! Ronald Goldman がニュースをお伝えします。今日 Housel 市長は市がいろいろな場所に新しい看板を導入することを発表しました。目的は、地域の歴史と観光名所のいくつかを宣伝することです。Bradford 市立動物園を宣伝する取り組みの一環として、2枚の掲示板が共に Chatwin 空港の近くにすでに設置済みです。市長はまた、South Bradford ビーチ区域に近い幹線道路34号線に、Seaport Marina 付近のビーチや海辺のアトラクションを訪れる人たちを歓迎する新しい看板を設置するとも述べました。この看板の意図は、この地域により多くの訪問客と商売を誘致し、マリーナや Bradford Beach に行くには幹線道路のどの出口から出るのかを示すことです。

「音を使ったトレーニング (9～10ページ 7)」で本物の実力を養成しましょう! やるかやらないか、ここが分かれ目です。

Unit 36

A

Listen to Track 36 and answer the following questions.

46. What kind of company does the speaker work for?

    (A) A shipping company
    (B) A restaurant chain
    (C) A painting business
    (D) A convention center

47. Why must the work be finished before next week?

    (A) A dining room will be decorated.
    (B) A team will be starting a new project.
    (C) A local event will be taking place.
    (D) A grand opening will be celebrated.

48. What will some of the listeners do this evening?

    (A) Review an assignment
    (B) Load some equipment
    (C) Repair a vehicle
    (D) Paint a truck

B

Listen again and fill in the blanks.

Questions 46 through 48 refer to the following talk.

I have a few things to say before you leave. We'll be (①   ) a new job tomorrow at the Parkshire Hotel. The owner wants us to paint the walls and ceiling in the hotel's main lobby and in one of its restaurants. There will be a (②   ) held here in Daytona Beach next week, and so the hotel has requested that we (③   ) our work by Sunday. Our (④   ) crew will be working on this job so we can finish it on time. I'd like us to get started early tomorrow and so I want all the (⑤   ) loaded into the van this evening. I need a (⑥   ) of you to help me with that. As for everyone else, I'll see you here at 6:30 tomorrow.

スクリプトの語注

- **ceiling** 名 天井
- **hold** 動 開催する
- **request** 動 求める
  名 **request** 要望
- **crew** 名（一緒に仕事をする）グループ
- **on time** 時間通りに
- **load** 動 積み込む
- **everyone else** その他全員

B 重要語穴埋め 解答

1. **starting** 原形は start 動 始める
2. **convention** 名（大きな）会議　同 conference
3. **complete** 動 終える
   形 **complete** 完全な
   名 **completion** 完成
4. **entire** 形 全体の
   副 **entirely** 完全に
5. **equipment** 名 機器、道具
   動 **equip** 備え付ける、身に付けさせる
6. **couple** 名 1対
   a couple of ～ 2、3の～

A 解答・解説

46.

What kind of company does the speaker work for?
話し手はどんな会社で働いていますか。

(A) A shipping company
輸送会社
(B) A restaurant chain
レストランチェーン
(C) A painting business
塗装業
(D) A convention center
コンベンションセンター

正解 (C)

The owner wants us to paint the walls and ceiling in the hotel's main lobby and in one of its restaurants. と言っているので、塗装業であることがわかる。

語注

□ **shipping** 名 輸送

47.

Why must the work be finished before next week?
なぜ仕事は来週までに終わらせなければなりませんか。

(A) A dining room will be decorated.
食堂に内装が施される。
(B) A team will be starting a new project.
チームが新しいプロジェクトを始める。
(C) A local event will be taking place.
地元のイベントが行われる。

(D) A grand opening will be celebrated.
開店が祝われる。

正解 (C)

There will be a convention held here in Daytona Beach next week, and so the hotel has requested that we complete our work by Sunday. と言って来週までに終わらせなければならない説明をしている。convention はイベントの一種なので、(C) が正解。

語注

- □ **decorate** 動 ペンキを塗ったり壁紙を貼ったりする
- □ **grand opening** 開店   □ **celebrate** 動 祝う

48.

What will some of the listeners do this evening?
聞き手の何人かは、今晩何をしますか。

(A) Review an assignment
割り当てられた仕事を見直す
(B) Load some equipment
道具を積み込む
(C) Repair a vehicle
車両を修理する
(D) Paint a truck
トラックを塗装する

正解 (B)

後半、I want all the equipment loaded into the van this evening. I need a couple of you to help me with that. と

言っているので聞き手のうち数人が今晩道具をバンに積み込むのを手伝うことがわかる。よって、(B) が正解。

語注

- **review** 動 見直す
- **assignment** 名 割り当てられた仕事
- **load** 動 積み込む
- **equipment** 名 道具
- **repair** 動 修理する

スクリプト訳

問題46～48は次の話に関するものです。

皆さんが帰る前に、2、3お話があります。我々は明日、Parkshire Hotel で新しい仕事を始めます。オーナーの要望は、ホテルのメインロビーおよびレストランの1つの壁と天井の塗装です。来週ここ Daytona Beach で会議が開催されるので、ホテルは我々が日曜日までに仕事を完了することを求めています。時間通りに終えられるように、スタッフ全員でこの仕事に取り組みます。明日は早くから始めたいので、道具はすべて今夜バンに積んでおきたいのです。皆さんのうち2、3人に手伝ってもらう必要があります。その他の皆さんは、明日6時半にここで会いましょう。

「音を使ったトレーニング（9～10ページ ⑦）」で本物の実力を養成しましょう！ やるかやらないか、ここが分かれ目です。

Unit 37

A

Listen to Track 37 and answer the following questions.

49. What is being advertised?

    (A) Special sales
    (B) Garden supplies
    (C) Supermarket savings
    (D) Landscape maintenance

50. According to the speaker, what is the company known for?

    (A) Its skilled workers
    (B) Its quality products
    (C) Its botanical garden
    (D) Its wide selection

51. Why are the listeners encouraged to visit a Web site?

    (A) To read practical suggestions
    (B) To find business locations
    (C) To look at a catalog
    (D) To register for a workshop

B

Listen again and fill in the blanks.

Questions 49 through 51 refer to the following advertisement.

Attention gardeners! Spring is around the corner, which means it's time to get your garden ready for the months ahead. Garden Brothers offers (①⎯⎯⎯⎯⎯⎯⎯⎯⎯) tools that are superior in strength and (②⎯⎯⎯⎯⎯⎯⎯⎯⎯). We also sell high-quality soils and (③⎯⎯⎯⎯⎯⎯⎯⎯⎯) that will make your flowers and vegetables grow to their (④⎯⎯⎯⎯⎯⎯⎯⎯⎯). Renowned for our highly skilled gardening professionals, we are always ready to (⑤⎯⎯⎯⎯⎯⎯⎯⎯⎯) you with finding the products you need. And we offer free delivery to anywhere in Missouri for orders of $100 or more. Visit our Web site at www.gardenbrothers.com to browse our catalog or call us at 555-2079. Whether you're a new gardener or an (⑥⎯⎯⎯⎯⎯⎯⎯⎯⎯), you can count on us to help you create a perfect garden.

スクリプトの語注

- **around the corner**　すぐそこまで来ている
- **it's time to 〜**　〜するときだ
- **superior**　形 優れている
  - 名 **superiority**　優れていること
- **renowned**　形 有名な　同 famous, well-known, prominent, notable, noted, celebrated
- **delivery**　名 配達
  - 動 **deliver**　配達する
- **anywhere**　副 どこでも
- **browse**　動 ざっと見る
  - 名 **browser**　インターネット閲覧ソフト、ブラウザー

B 重要語穴埋め 解答

1. **affordable**　形 手ごろな価格の
   - 動 **afford**　〜する余裕がある
2. **durability**　名 耐久性
   - 形 **durable**　長持ちする
3. **fertilizers**　(名 fertilizerの複数形) 肥料
4. **potential**　名 潜在力
   - 形 **potential**　潜在的な、可能性がある
5. **assist**　動 手伝う
   - 名 **assistance**　手伝い
   - 名 **assistant**　アシスタント
6. **expert**　名 専門家
   - 名 **expertise**　専門技術

解答・解説

49.

What is being advertised?

何が宣伝されていますか。

(A) Special sales
特別セール
(B) Garden supplies
園芸用品
(C) Supermarket savings
スーパーマーケットの割引
(D) Landscape maintenance
庭の手入れ

正解 (B)

冒頭、it's time to get your garden ready for the months ahead. と述べ、tools、soils、fertilizers の宣伝をしている。よって、園芸用品を取り扱っている宣伝であることがわかる。

語注

- **advertise** 動 宣伝する
- **garden supplies** 園芸用品
- **saving** 名 割引
- **landscape** 名 造園

50.

According to the speaker, what is the company known for?

話し手によれば、会社は何で知られていますか。

(A) Its skilled workers
熟練販売員

(B) Its quality products
良質な商品

(C) Its botanical garden
植物園

(D) Its wide selection
幅広い品揃え

正解 (A)

Renowned for our highly skilled gardening professionals と言っているので、この店が高いスキルを持った庭造りの専門家で有名なことがわかる。よって、(A) が正解。質の高い商品を販売していると言っているが、それで有名だとは述べられていないので (B) は正解にはならない。

語注

□ **skilled** 形 熟練した
□ **botanical garden** 植物園

51.

Why are the listeners encouraged to visit a Web site?
なぜ聞き手はウェブサイトへのアクセスを勧められていますか。

(A) To read practical suggestions
実用的な提案を読むため

(B) To find business locations
会社の場所を知るため

(C) To look at a catalog
カタログを見るため

(D) To register for a workshop
ワークショップに登録するため

A 解答・解説

正解 (C)

Visit our Web site at www.gardenbrothers.com to browse our catalog と言って、この店のサイトでカタログを見ることを勧めている。よって、正解は (C)。

語注

- **encourage** 動 勧める
- **practical** 形 実用的な
- **suggestion** 名 提案
- **business** 名 会社
- **location** 名 場所
- **register** 動 登録する

スクリプト訳

問題49～51は次の広告に関するものです。

ガーデニング好きの皆さまにお知らせします！ もうすぐ春がやってきます。今は向こう数カ月にそなえ、庭の準備をするときです。Garden Brothers は、強度と耐久性の面で優れた手ごろな価格の道具をご提供いたします。また、花や野菜を潜在力最大に成長させる高品質の土と肥料も販売しています。熟練したガーデニング専門家がいることで定評がある当店は、いつでもあなたが必要な製品を見つけるお手伝いをする準備ができています。そして100ドル以上のご注文なら、Missouri のどこへでも無料で配達いたします。当社のウェブサイト www.gardenbrothers.com にアクセスしてカタログをご覧になるか、555-2079にお電話ください。あなたがガーデニングの初心者であれ専門家であれ、当店が完璧な庭造りをお手伝いしますのでお任せください。

「音を使ったトレーニング (9～10ページ 7)」で本物の実力を養成しましょう！ やるかやらないか、ここが分かれ目です。

Unit 38

A

Listen to Track 38 and answer the following questions.

52. Who is the speaker?

    (A) A repairperson
    (B) A tourist
    (C) A tenant
    (D) A patient

53. What problem does the speaker report?

    (A) A malfunctioning device
    (B) A blocked drainage pipe
    (C) A broken window
    (D) A damaged filter

54. What does the speaker offer to do?

    (A) Install some equipment
    (B) Adjust her schedule
    (C) Contact a technician
    (D) Pay in advance

B

Listen again and fill in the blanks.

Questions 52 through 54 refer to the following telephone message.

Hi, this is Dana Chambers from room 318. I'm calling because one of the air conditioners in my apartment isn't running. When I turned it on, it worked for about a minute and then shut off. I (①   ) the filters and made (②   ) the drain pipe was clear, but it still doesn't work. Because of the (③   ) heat wave, I was hoping you could send someone to take a look at it soon, and if necessary, (④   ) it. Although I have a busy week ahead of me, my schedule is (⑤   ). So I could be here one afternoon or evening as long as I know in (⑥   ) which day you'll come. Please call me at 555-3632 when you're ready to schedule a meeting time.

スクリプトの語注

- **run** 動 作動する
- **turned ~ on** ~のスイッチを入れる
- **shut off** 切れる
- **drain pipe** 排水管
- **if necessary** もし必要なら
- **schedule** 名 予定
  動 schedule 予定に入れる

B 重要語穴埋め 解答

1. **cleaned** 原形は clean 動 きれいにする
   形 clean 汚れていない、清潔な
2. **sure** 形 確かな
   make sure 確認する
3. **forecasted** 原形は forecast 動 予測する
   名 forecast 予測、予報
4. **replace** 動 交換する
   名 replacement 交換、交換品
5. **flexible** 形 融通のきく
6. **advance** 名 前進、前払い
   in advance 前もって

52.

Who is the speaker?

話し手は誰ですか。

(A) A repairperson
   修理工
(B) A tourist
   観光客
(C) A tenant
   賃貸人
(D) A patient
   患者

正解 (C)

冒頭、Hi, this is Dana Chambers from room 318. と名乗り、故障したエアコンの修理を頼んでいる。アパートの部屋を借りている人であることがわかるので、(C) が正解。

語注

□ **tenant** 名 賃貸人

53.

What problem does the speaker report?

話し手は、どんな問題を報告していますか。

(A) A malfunctioning device
   正常に機能していない機器
(B) A blocked drainage pipe
   詰まっている排水管
(C) A broken window
   壊れた窓

(D) A damaged filter
   損害を受けたフィルター

正解 (A)

I'm calling because one of the air conditioners in my apartment isn't running. と言って、エアコンが正常に作動していないことを伝えている。エアコンは device の一種なので、(A) のように言い換えることができる。

語注
- **malfunction** 動 正常に機能しない
- **device** 名 機器
- **blocked** 形 詰まった
- **drainage** 名 排水

54.

What does the speaker offer to do?
話し手は、何をすることを申し出ていますか。

(A) Install some equipment
   機器を設置する
(B) Adjust her schedule
   彼女の予定を調整する
(C) Contact a technician
   技術者に連絡する
(D) Pay in advance
   事前に支払う

正解 (B)

後半、my schedule is flexible. So I could be here one afternoon or evening と言っている。これは予定を合わせる用意があることの意思表示なので、(B) が正解。

語注

- □ **offer** 動 申し出る
- □ **equipment** 名 機器
- □ **contact** 動 連絡する
- □ **technician** 名 技術者
- □ **install** 動 設置する
- □ **adjust** 動 調整する
- □ **in advance** 事前に

スクリプト訳

問題52～54は次の電話のメッセージに関するものです。

もしもし、318号室のDana Chambersです。私の部屋のエアコンのうち1台が作動していないので、お電話しています。スイッチを入れたら1分ほど動いてから止まってしまいました。フィルターを掃除して、排水管が詰まっていないことを確認しましたが、まだ動きません。予報では猛暑になるそうですから、すぐに誰かに見に来てもらって、必要なら取り替えていただきたいと思っています。私はこの先1週間は忙しいのですが、スケジュールは融通がききます。どの日にいらっしゃるか前もってわかっていれば、午後または晩にここにいることができます。会う予定を決められるようになったら、555-3632にお電話ください。

「音を使ったトレーニング（9～10ページ 7）」で本物の実力を養成しましょう！ やるかやらないか、ここが分かれ目です。

Unit 39

A

Listen to Track 39 and answer the following questions.

55. Who most likely is the speaker?

(A) A guide
(B) An inspector
(C) An artist
(D) A travel agent

56. What is the company known for?

(A) Its art collection
(B) Its testing procedures
(C) Its superior products
(D) Its creative team

57. What does the speaker mention about the gallery?

(A) It is the oldest room in the building.
(B) It is managed by a well-known painter.
(C) It is connected to the factory by a corridor.
(D) It is the last area the listeners will be shown.

B

Listen again and fill in the blanks.

Questions 55 through 57 refer to the following talk.

We're (①   ) to welcome you to our factory. Over the next hour, you'll see some of our (②   ) processes. You'll also learn why so many artists (③   ) our paints to be of a higher quality than other brands. First we'll be taking a look at how we mix raw materials. We'll also tell you a little about the history of our company. The next stop on the tour will be our paint testing area. Finally, as we make our way back to the lobby here, I'll show you the gallery. We have more than 20 paintings on (④   ) by some of the world's most (⑤   ) watercolor painters. We hope you enjoy your tour. Now please follow me to the end of this corridor and we'll (⑥   ) the factory.

スクリプトの語注

- □ **quality** 名 品質
- □ **take a look at ～** ～を見る
- □ **raw materials** 原料
- □ **finally** 副 最後に
  形 **final** 最後の 動 **finalize** 仕上げる
- □ **watercolor** 名 水彩画
- □ **follow** 動 後についていく
  形 **following** 次の
  前 **following** ～に続いて
- □ **corridor** 名 通路

B 重要語穴埋め 解答

1. **pleased** 形 喜んで
2. **manufacturing** 名 製造
   動 **manufacture** 製造する
   名 **manufacturer** 製造業者、メーカー
3. **consider** 動 見なす
   名 **consideration** 考慮、留意事項、思いやり
4. **display** 名 展示
   動 **display** 展示する、表示する
5. **renowned** 形 有名な 同 famous, well-known, prominent, notable, noted, celebrated
6. **enter** 動 入る
   名 **entrance** 入り口 名 **entry** 入ること、登録

55.

Who most likely is the speaker?

話し手はおそらく誰ですか。

(A) A guide
ガイド
(B) An inspector
視察官
(C) An artist
芸術家
(D) A travel agent
旅行代理店の社員

正解 (A)

冒頭、工場へ来た聞き手を歓迎し、これから製造工程を見ることを伝え、具体的に何を見学するか説明している。よって、話し手が工場見学のガイドであることがわかる。

語注

□ **inspector** 名 検査官
□ **travel agent** 旅行代理店の社員

56.

What is the company known for?

この会社は何で知られていますか。

(A) Its art collection
美術品のコレクション
(B) Its testing procedures
検査手順
(C) Its superior products
優れた製品

(D) Its creative team
創造的なチーム

正解 (C)

You'll also learn why so many artists consider our paints to be of a higher quality than other brands. と言っている。この会社の絵の具を高品質だということを多くの芸術家が認識しているということはそれが高品質で有名だということになるので、(C) が正解。

語注

- **superior** 形 優れている
- **creative** 形 創造的な

57.

What does the speaker mention about the gallery?
話し手は展示室について何と言っていますか。

(A) It is the oldest room in the building.
建物で最も古い部屋である。
(B) It is managed by a well-known painter.
有名な画家によって管理されている。
(C) It is connected to the factory by a corridor.
工場と通路でつながっている。
(D) It is the last area the listeners will be shown.
聞き手が最後に見せられる区域である。

正解 (D)

Finally, as we make our way back to the lobby here, I'll show you the gallery. と言っているので、展示室は最後に見学する場所であることがわかる。よって、(D) が正解。

語注

- **manage** 動 管理する
- **well-known** 形 有名な
- **connect** 動 つなげる

スクリプト訳

問題55～57は次の話に関するものです。

皆さまを当工場に喜んでお迎えいたします。これから1時間にわたり、皆さんに当社の製造工程を見ていただきます。また、なぜこれほど多くの芸術家が当社の絵の具を他のブランドより高品質と見なしているかということもご説明いたします。最初に、原料を混ぜる方法を見ていきます。当社の歴史についても少しお話しします。次に見学するのは、絵の具の検査エリアです。最後に、このロビーへ戻ってきて、展示室をご覧にいれます。世界で最も有名な水彩画家たちによる絵画を20点以上展示しています。どうぞ見学ツアーをお楽しみください。それでは工場に入りますので、私の後についてこの通路の端までお越しください。

「音を使ったトレーニング（9～10ページ **7**）」で本物の実力を養成しましょう！ やるかやらないか、ここが分かれ目です。

Unit 40

A

Listen to Track 40 and answer the following questions.

58. Why is the speaker calling?

    (A) To criticize a service
    (B) To solicit participation
    (C) To respond to an inquiry
    (D) To approve some procedures

59. What service does Gus's Trunks offer?

    (A) Storage
    (B) Distribution
    (C) Cleaning
    (D) Advertising

60. What does the speaker say about Gus's Trunks?

    (A) Its rates are competitive.
    (B) Its security has been improved.
    (C) Its location is convenient.
    (D) Its manager lives at the facility.

B

Listen again and fill in the blanks.

Questions 58 through 60 refer to the following telephone message.

Hi Jack. This is Fiona. You must be busy getting ready to move. I got your message, and I'm calling in response to your question. Yes, my husband and I do rent a storage unit. It's at a facility called Gus's Trunks on Folgers Lane. To use it, all we had to do was fill out a form there,

(①   ) credit card details and indicate (②   ) how much we wanted to store. We were then given a security (③   ) for a sizeable unit. The facility is good because it's clean and (④   ). It also has plenty of (⑤   ) cameras and the man who runs it actually (⑥   ) on site. What's more, they have a truck and driver to help out with local moves. If you need any more information, call me back.

スクリプトの語注

- **in response to ～** ～に応えて
- **rent** 動 賃借する 名 **rent** 家賃
- **facility** 名 施設
- **fill out** 記入する 同 complete
- **indicate** 動 述べる
  名 **indication** 指し示すこと、兆候
- **store** 動 保管する 名 **storage** 倉庫
- **sizeable** 形 かなり大きな
- **on site** その場所に

B) 重要語穴埋め 解答

1. **provide** 動 提供する
2. **roughly** 副 およそ
   形 **rough** 大ざっぱな、荒い、でこぼこした
3. **code** 名 記号
4. **secure** 形 安全な
   動 **secure** 確保する
   名 **security** 安全、保障、警備
5. **surveillance** 名 監視
6. **resides** 原形は reside 動 住む
   名 **resident** 住民
   名 **residence** 居住すること、住居
   形 **residential** 居住の、居住に適した

A 解答・解説

58.

Why is the speaker calling?
話し手はなぜ電話していますか。

(A) To criticize a service
サービスを批判するため
(B) To solicit participation
参加を求めるため
(C) To respond to an inquiry
質問に答えるため
(D) To approve some procedures
手順を承認するため

正解 (C)

I'm calling in response to your question. と言っているので、質問を受けて、それに返答するために電話をしていることがわかる。よって、(C) が正解。

語注

- criticize 動 批判する
- solicit 動 求める
- participation 名 参加
- respond 動 答える
- inquiry 名 質問
- approve 動 承認する
- procedure 名 手順

59.

What service does Gus's Trunks offer?
Gus's Trunks は、どんなサービスを提供していますか。

(A) Storage
倉庫

(B) Distribution
流通

(C) Cleaning
清掃

(D) Advertising
広告

正解 (A)

my husband and I do rent a storage unit. It's at a facility called Gus's Trunks on Folgers Lane. と言っているので、Gus's Trunks が storage unit を賃貸ししていることがわかる。よって、(A) が正解。

語注

- □ **offer** 動 提供する
- □ **storage** 名 倉庫
- □ **distribution** 名 流通

60.

What does the speaker say about Gus's Trunks?
話し手は、Gus's Trunks について何と言っていますか。

(A) Its rates are competitive.
価格が他に劣らず安い。

(B) Its security has been improved.
安全性が改善された。

(C) Its location is convenient.
場所が便利である。

(D) Its manager lives at the facility.
マネジャーが施設内に住んでいる。

解答・解説

正解 (D)

the man who runs it actually resides on site. と言っているので、施設を運営している男性がその場所に住んでいることがわかる。これは (D) のように言い換えることができる。

語注

- **rate** 名 価格
- **competitive** 形 競争力がある
- **security** 名 安全性
- **improve** 動 改善する
- **location** 名 場所
- **convenient** 形 便利な
- **facility** 名 施設

スクリプト訳

問題58〜60は次の電話のメッセージに関するものです。

もしもし、Jack。Fiona です。引っ越しの準備で忙しいでしょうね。あなたからのメッセージを聞いて、質問に答えるために電話しています。ええ、夫と私はたしかに倉庫を借りています。Folgers Lane の Gus's Trunks という施設です。使用するには、そこで用紙に記入して、クレジットカードの詳細を提供して、保管したい量をざっと伝えただけです。それからかなり大きなユニットの暗証番号をもらいました。施設は清潔で管理もしっかりしているのでいいですよ。監視カメラもたくさんあるし、施設を運営している男性は実際にそこに住んでいます。その上、地元の引っ越しを手伝うトラックと運転手もいるんです。他にもっと知りたいことがあれば、電話してください。

「音を使ったトレーニング（9〜10ページ 7）」で本物の実力を養成しましょう！やるかやらないか、ここが分かれ目です。

著者紹介

神崎正哉 (かんざき・まさや)

1967年神奈川県生まれ。神田外語大学講師。東京水産大学（現東京海洋大学）海洋環境工学科卒。テンプル大学大学院修士課程修了（英語教授法）。TOEIC®テスト12回連続990点、英検1級、国連英検特A級、ケンブリッジ英検など英語の資格多数。著書に『新TOEIC® TEST 出る順で学ぶボキャブラリー990』（講談社）、『神崎正哉の新TOEIC® TEST ぜったい英単語』（IBC パブリッシング）、共著書に『1駅1題 新TOEIC® TEST 読解特急』『新TOEIC® TEST 読解特急2 スピード強化編』『新TOEIC® TEST 読解特急3 上級編』（以上、小社）、『新TOEIC® TEST「正解」一直線』（IBC パブリッシング）など多数ある。
TOEIC Blitz Blog：http://toeicblog.blog22.fc2.com/

Daniel Warriner (ダニエル・ワーリナ)

1974年カナダ、ナイアガラフォールズ生まれ。ブロック大学英文学科卒。1998年来日。北海道大学、都内英語学校でTOEIC®テスト対策、英会話を教える傍ら、講師トレーニング及び教材開発に携わる。現在、英文校正者として翻訳会社に勤務。共著書に『1駅1題 新TOEIC® TEST 読解特急』『新TOEIC® TEST 読解特急2 スピード強化編』『新TOEIC® TEST 読解特急3 上級編』（以上、小社）、『新TOEIC® TEST「正解」一直線』（IBC パブリッシング）、『TOEIC® TEST 神崎式200点アップ術（上）』『同（下）』（以上、語研）、『新TOEIC®テスト 速読速解7つのルール』（朝日出版社）、『スティーヴ、今夜はスシバーにご案内しましょう』（実務教育出版）など多数ある。

新TOEIC® TEST パート3・4特急
実力養成ドリル

2012年5月30日　第1刷発行
2014年3月10日　第4刷発行

著　者	神崎正哉 Daniel Warriner
発行者	小島　清
装　丁 本文デザイン イラスト	川原田 良一 コントヨコ cawa-j ☆ かわじ
印刷所 発行所	大日本印刷株式会社 朝日新聞出版 〒104-8011　東京都中央区築地5-3-2 電話 03-5541-8814（編集）　03-5540-7793（販売） © 2012 Masaya Kanzaki, Daniel Warriner Published in Japan by Asahi Shimbun Publications Inc. ISBN 978-4-02-331083-4 定価はカバーに表示してあります。 落丁・乱丁の場合は弊社業務部（電話 03-5540-7800）へご連絡ください。 送料弊社負担にてお取り替えいたします。